玄學家・序

世上真的有鬼嗎？

以中國玄學術數來說，本身是不談鬼神的，命理為例，是以一個人的出生年、月、日及出生時間（俗稱八字），化成以陰陽五行六十甲子代號來分析「大自然氣場」對一個人的命運影響。本人研究及執業玄學近二十年，暫時仍未真真正正「親眼」或「觸摸」到鬼神。不過，在某些時間裡，卻會有所「感應」。
在研究中發現，如果一個人的八字全陰（四柱八字天干地支全部屬陰干陰支），或八字太過寒濕而欠火，又或八字木土多見，皆對靈體特別容易有感應（但未必一定看到）。其中尤以八字全陰又寒濕欠火的組合特別準確。

偶而在 facebook 打發時間，某天發現有一專頁「馮比比靈異分享」，作者將自己親身撞鬼經歷，以甚為風趣幽默的手法寫出，令讀者在心驚膽跳之餘，又偶有會心微笑。
作者比比的其中一個經歷，是關於受到泰國陰牌的鬼魂影響，令作者曾經歷數年低潮。在與比比閒談數句之間，本人當時在未有比比的出生八字之下，以觸機手法批算出比比何年應兇，何年回復正常，竟亦準確。及後比比亦大方提供自己八字，一看之下，果然是八字全陰欠火的組合。奇妙者，在八字的分析之下，明顯看出比比某年會出問題，某年又開始會回復正常。那麼，究竟是一個人的出生八字密碼，便注定著比比的運勢起跌，還是出生八字的某種磁場，會吸引靈界的力量進入比比的世界從而發生吉凶因果呢？

這自然是雞先定蛋先的問題，也沒有明確答案可以回答大家。我們還是找處無人打擾的地方，靜心看看比比的靈異經歷。在寫此序的時間，是零辰五點多，好像有點陰風陣陣的樣子。

李應聰師傅
風水命理玄學家

作者・自序

我叫馮比比，師傅話我八字全陰，屬於靈異體質，所以有時會聽到、見到或感受到靈界朋友，我曾經搵過唔同師傅想封身封眼，都係比人呃錢多、直到後來有個韓國師傅同我講，佢話到 2022 年呢～我就會習慣哂，叫我咪再掙扎。佢話其實當您感應到佢哋，就好似收音機 tune 岩台咁，佢哋都知您見到佢，我經常都扮見唔到，扮聽唔到、大家和平共存就算。

我希望透過文字將自身經歷或當中的覺悟或訊息正面傳送比讀者，在 2021 年 6 月中在社交媒體 Facebook 開始寫個人網誌「馮比比靈異分享」，至今有約 6800 名追蹤人次，曾接受網台 D100《魅影空間》及 Viu TV 節目《總有一瓣喺咗近》訪問。

本書特別鳴謝比比所有家人、閨蜜們、李應聰師父、Sonam-Lhamo 及超媒體出版社 Sandy。

馮比比靈異分享：
https://www.facebook.com/nostormbibi/

書名 | 靈舍攪鬼
作者 | 馮比比
出版 | 超媒體出版有限公司
地址 | 荃灣柴灣角街 34-36 號萬達來工業中心 21 樓 2 室
出版計劃查詢 | (852)3596 4296
電郵 | info@easy-publish.org
網址 | http://www.easy-publish.org
香港總經銷 | 聯合新零售 (香港) 有限公司
出版日期 | 2021 年 9 月
圖書分類 | 靈異故事
國際書號 | 978-988-8778-18-8
定價 | HK$69

初見 - 爺爺

如果可以再次見到死咗嘅親人，您會同佢好好道別嗎？

話說因為比比有 4 姐弟，所以我哋爸爸媽媽都日出而作 日入而息，而主要照顧我嘅係爺爺嬤嬤，後生時候嘅嬤嬤好惡，成日鬧媽咪，所以我細個好驚佢；而爺爺對我寵溺無極限，所以我細個經常恃寵生嬌，除了頂撞爸媽以外，還有大量惡作劇，傑作包括用牛皮膠紙喺電梯幫鄰居伯伯做腋下永久脫毛、趂爺爺訓著用毛筆幫佢化妝等；被打被罰是家常便飯；他包庇我亦是。

爺爺的嗜好是賭馬，所以好多時去完馬場，爺爺會帶我去彭福公園同吃漢堡及薯條，爺孫倆，可以說是形影不離。

後來，爺爺患上重病一直在醫院，我只記得我好耐好耐無見過爺爺。

然後，我記得有一日我在學校上課，小息時分，爸爸來接我去靈實醫院，站在爺爺床前 ，他瘦了很多，我親了他一下之後，然後，我看到半透明的爺爺，離開病床上的爺爺後，他便一直睡覺了，那時，我不懂那是死亡。

直到另一天，爸媽說我不用上學 ，他們幫我穿上白衣白褲，別

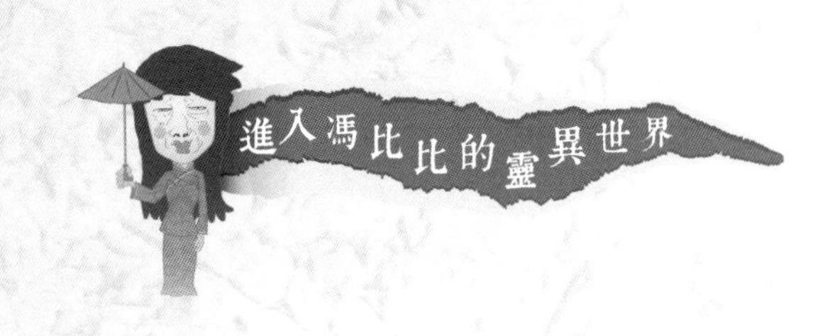

了一朵花花（我已經忘了，是白色、藍色還是綠色。）

爸爸說，我們要去跟爺爺道別。

爺爺要去那兒？怎麼不帶我？
我決定一陣一定要好好同爺爺算帳。

去到一個很多花花的地方，我看見爺爺的相片在正中央，嫲嫲、媽媽都在哭。

爺爺呢？

穿過相片後的房間，我第一次看見爺爺化了妝的模樣，
他就靜靜咁躺在一張銀色的床上。
可是我見到，爺爺明明站在旁邊呀！

我記得我跑過去想抱住爺爺，他明明就近在咫尺，但我怎麼跑都是跟他有一個距離，看得到，吻不到。
我第一次真正著急而抓狂了！
覺得今次的爺爺是那裡不同了。
爺爺叫我跟嫲嫲講，他不痛了。

也叫我跟爸爸媽媽講比心機養大我們。

然後他跟我說，不准再這樣皮 ，
要孝順爸媽日後成為一個好人。

他說只要我想他，就是他也在想我。
他說只要閉上眼睛就會看見他。
他沒辦法每天都跟我一起了。
但佢答應每一個我的重要時刻，
他都會在！然後就突然爺爺不見了。

那刻 我忽然懂了甚麼麼是永別！
我哭瘋了，後來伏在爺爺的大體上睡著了。

我諗嗰次，係我有意識以嚟
第一次知道自己可以見到已故者。

到我長大了，
無論是小學，中學，大學畢業典禮，
抑或係婚禮 ，低潮、遇險了
我都感覺到爺爺來了。

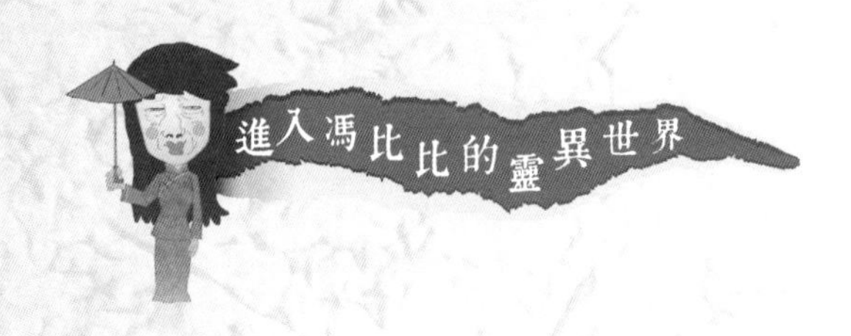

我也相信他一直都在，只是換了種方式存在。

圖片來源：http://img39.photophoto.cn/20160401/0010023661747944_s.jpg

母親的愛

我們很多時都會把最差的一面留給家人，因為總會被包容。
你可能會覺得媽媽很煩、很落伍、很嘮叨一大堆，但我相信大部份的母親都出於愛。

以前我也偶爾會覺得媽媽煩，但自從比比經歷過懷孕期的辛苦、十級陣痛、產後痛楚、照顧嬰兒的不眠不休，我明白每一個媽媽，可能用的方法未必正確，但當你嫌棄她之前請你相信，她必定想給自己孩子最好的，趁媽媽還在，請你好好的說愛她。

話說比比小時候，同學 A 的媽媽，我叫她珍姨姨，是一個當清潔工的聾啞人士，爸爸早就離開她們了，她們家很貧窮，但由於珍姨姨把最好的都留給女兒，所以不知就裡的人，會以為同學 A 是那家的小康女兒，自卑心令同學 A 的虛榮心作怪，佢怕被人發現原來佢媽咪係清潔人員會被取笑，所以佢好唔想比人知。

每逢學校小息的時候，學生可以選擇在室內或室外的操場休息，而家長們可以在那個時間在鐵網外的等候區，拿食物給子女們。珍姨姨從不缺席，每天都會穿著工作衣服，在等候區外拿新鮮的面包給同學 A，而不只一次，我看到同學 A 是故意裝作看不

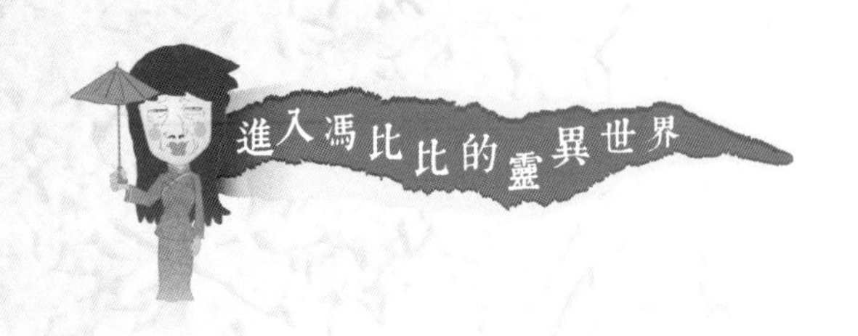

見珍姨姨來了，有時扮作走到操場的另一邊玩，有時故意走進室內操場，由於珍姨姨其實很趕時間，所以我習慣每天站在同一位置幫珍姨姨當個跑腿，然後拿給同學 A，有幾次，我見她直接把面包掉到垃圾桶，每次珍姨姨來接她放學，她都會裝作不認識一樣，自個兒行，後來珍姨姨讀懂了女兒的心，就每次都索性站到遠處等候，默默的護送女兒，我看在眼內，很討厭同學 A 的行為。

有一天，由於下大雨，所有學生都得待在室內操場，我站近門口，看看珍姨姨會不會來，她有來，可是今次我看見的她變了半透明，整個面都是紫紅色的，然後左腿呈不是正常人能做的曲折，我呆了！我跑去跟同學 A 叫她快打電話回家，她還嫌我多事！後來她連續幾天沒有上學，聽說珍姨姨倒垃圾時太累昏倒，她是啞巴，連呼叫救的能力也沒有，就這樣沈默而硬生生的從 16 樓的垃圾槽直墜地下，送院前已不治。

當同學 A 再回來上學，她每天小息都站在以前珍姨姨送食物給她的地方在哭，而她不知道，珍姨姨的靈，其實每天有站在外面想幫女兒抹眼淚，每天放學，她仍站在遠處護送女兒回家。
就算兒女怎樣對待自己，還是無私地緊守崗位，
這就是媽媽。

對家人，特別是父母的愛，我們常以為可以遲少少先、下次先，
這只是我們的以為，世事未必如你所料。

寧願說了後悔 也別失去後才來遺憾。

樹欲靜而風不止 子欲養而親不待。
希望大家知道 愛要及時 說出來也是。

媽媽，I Love You!

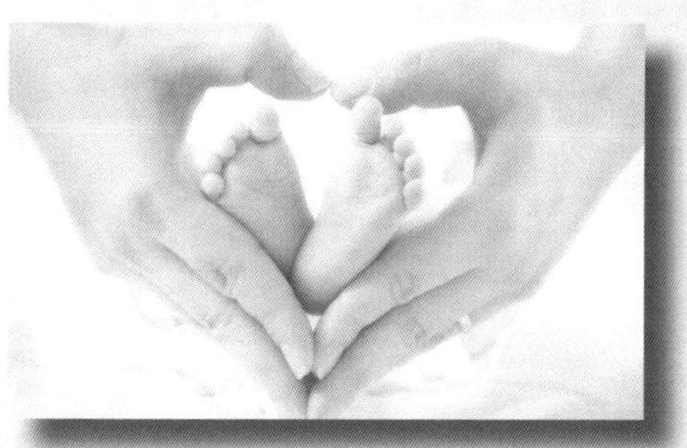

圖片來源：https://www.torontostm.com/wp-content/uploads/2017/05/%E6%AF%8D%E8%A6%AA%E4%B8%8D%E6%98%93%E5%81%9A-750x450.jpg

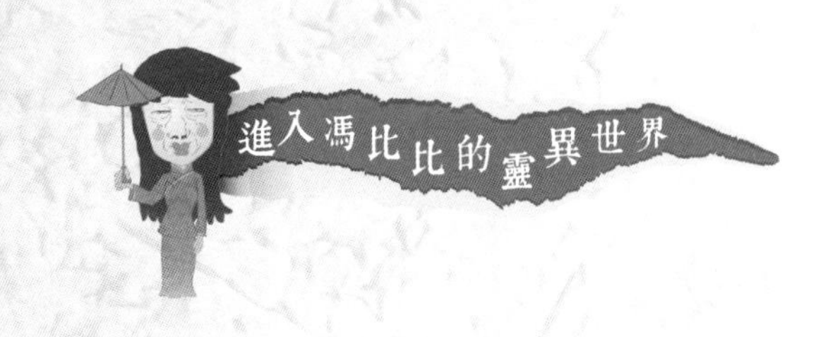

順風車

雖然我細妹幫我安咗個綽號叫「馮必醉」，但係我飲咗酒只係會傻笑、訓覺，但我係會行到直線，同埋一直保持個意志清醒，直至我見到家人先會冧低嘅。

話說有次我又飲花酒，我記得因為一啲小事，藉著酒意就同男朋友耍花槍，都係上咗的士之後「乜又係你呀陳生！」，以為佢會追、點知佢冷靜地同我揮手，嗰下仲嬲！男人們，女仔上車走，有 9 成半係想你追想你氹、我諗只有半成係想你揮手！你揮手只會令事情升級，嚴重者揮手變分手都有之！

於是我就嬲爆爆坐喺的士嘅左手邊，好文青 feel 咁望住窗外嘅風景，去到半途，我忽然之間覺得車上多咗個人，於是我望一望我旁邊，即司機位後方！

我都即時嚇一嚇，唔您搭順風車唔相干，但可唔可以唔好自帶青光、著哂紅裙仔，個頭又唔梳好咁靜雞雞坐喺我旁邊！

我亦一時忍唔住，嘩咗一聲！

的士司機經驗同反應都相當唔錯，佢即時 9 秒 9 遞咗個白色膠袋比我叫我唔好嘔喺佢架車。

即係咁！有酒氣還有酒氣，飲到嘔還飲到嘔，真心唔好混淆！

當時，我有三個選擇：
A) 冒住比司機以為我痴線，然後趕我落車嘅危險同佢講，我唔係想嘔呀，你後面有青紅蘿蔔鬼！
B) 冒住比司機以為我痴線，然後趕我落車嘅危險同佢講，我唔係想嘔呀，我純粹想嗌！
C) 默默接過膠袋，禮貌地食咗我係醉酒鬼呢隻死貓。

我選擇咗 C。

然後我用心語同青紅蘿蔔鬼講：「拿，您搭順風車我 ok，但唔好跟我返屋企，我屋企有家神，您入唔到㗎！」

隻青紅蘿蔔學我望窗！
於是我們一個向左望 一個向右望！
而司機一直向後望，氣氛十分之和諧。
過咗陣，青紅蘿蔔唔見咗，我諗佢到家了吧。

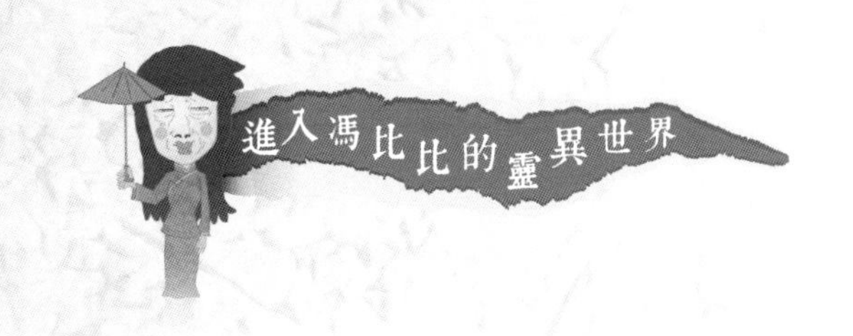

10 分鐘後，我都到達深山村口，我落車。
話明深山，落咗車其實仲有行一段斜路先到家。
當我準備行上去，我忽然間覺得背部傳來寒冷的凍。
不知道那來的勇氣，我好高速咁擰轉頭睇吓後面，無人！
當我一面擰返轉頭，仲想暗地笑自己細膽時，我見到我右邊膊頭上，有隻發青光，搽晒嬌滴滴粉紅色指甲油嘅女人手！！

我諗而係青紅蘿蔔應該喺我背上。

我發晒癲好似比小強走咗入衣服咁，一路尖叫，
一路 Fing 走佢。情況都相當頻能！

然後就係驚到面青口唇白嘅時候，我見到有人好快咁喺村口嗰棵食人花芭蕉樹度跑出嚟，當我仲諗緊，係咪要同青紅蘿蔔加香蕉精打女子雙打時……好彩，冷靜揮手者都衰唔晒、記得我住深山危險打咗比我老豆。
老爸又好醒目喎，無以為我發酒癲，仲即刻除咗佢條關刀玉金鏈套住我，青紅蘿蔔即刻消失咗。

老豆仲識補飛話：「您飲醉唔好亂講嘢，請大家大人不記小人

過，個衰女包細路仔唔識世界。」

然後用世界上最溫暖嘅手臂攬緊我逃離現場，安全歸家。

比比老豆，真係世界上最 Man 嘅男人。

圖片來源：https://tse1.mm.bing.net/th?id=OIP.b3h0BVPKqO1IvgG6DD0TGAHaFM&pid=Api&P=0&w=247&h=175

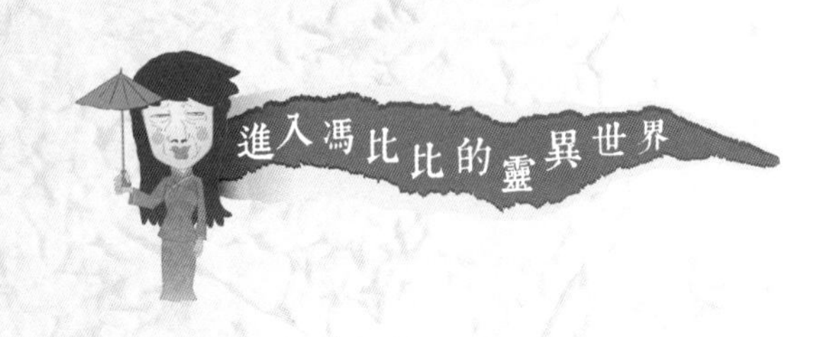

鬼招親

話說有年 7 月左右，細佬同一班手朋友去咗廣州長隆玩咗兩日一夜，跟住返到香港就開始唔舒服，一到夜晚就發高燒，成年人發到 104 度係好誇張嘅事，睇咗家庭醫生同細佬講，如果食咗藥三日後仲燒呢，記得馬上，立刻、即時入醫院！

醫生果然神機妙算，細佬三日後真係仲燒！佢入院嗰日咁啱係農曆七月十四日，而且日頭好正常，一到夜晚就高燒兼口腔來無名地痛，完全食唔到嘢，入咗院十幾日，佢情況都係無好轉，仲試過最高燒到 105 度，燒到頭皮都乾哂，醫生幫佢種咗好多菌，都查唔到咩原因會咁燒，醫生都束手無策。

日頭細佬係可以正常對答，佢話一到夜晚就覺得好凍，好似有人喺背後攬住佢，而且每晚都會夢見一個女孩，一到夜晚就迷迷糊糊，唔知咩原因，我睇唔到有嘢跟佢。

醫學上我哋交比醫生，但同時，我哋都開始懷疑係唔係撞邪，所以決定死馬當活馬醫，無雷家姐諗起佢有個朋友曾經係泰國紋身而被人落降，嗰時有朋友介紹去咗離島嘅一間小道堂度解決咗，佢哋嘅幫人解決，只需象徵式添小小香油，我哋決定放手一搏。

無雷大家姐係醫院影咗細佬一張相，第二朝我同佢一早拎住相就搭船出發，我哋去到比張相道堂姨姨睇，家姐問佢細佬係咪撞到污糟嘢，因為一直發燒同頭痛，之後姨姨即刻講：「佢唔係頭痛，係後頸入邪喎。」

當時其他家人都以為細佬頭痛，只有我同媽咪兩個主要照顧者，先會知佢係其實話後頸痛。

之後姨姨問我哋細佬最近係咪出過門，佢算到細佬時運低，出門玩時唔小心衝撞到個女靈，打算拉佢做老公，姨姨話，我哋只係家姐，論輩份未夠班代細佬做啲乜，要叫父母入嚟求先有機，而且唔可以再拖，如果唔係細佬就算無被女靈拉走，都分分鐘燒到壞腦。

的確，細佬之前嗰晚，已經開始連我哋都唔認得，就算日頭都開始一直訓，醫生仲係未搵到原因。

回程喺船上，我同家姐分析主要人物嘅特點，以商討下一步戰略。
比比媽咪：
戰鬥力 10000 頑固度 1000000

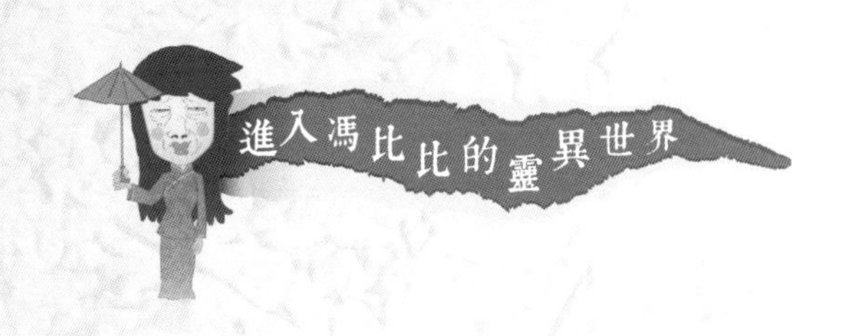

包拗頸強人
佢只會堅持寸步不離，留喺醫院照顧細佬
要佢親自過嚟 難度系數：★★★★★

比比老豆：
躁底度 100000 頑固度 1000000
無神論者 唔相信有靈異
佢工作好忙 秒秒鐘幾廿萬上落之勢
要佢親自過嚟 難度系數：★★★★★

於是我哋決定先攻媽咪，講咗一句已攻城失敗……

咁唯有剩返另一個 boss……
我哋好驚訝老豆竟然即時同意。

爸爸同我第二朝即刻再入去，
一個唔信鬼神嘅大男人，
唔問原因 唔理結果，
為咗個仔跪低 一直嗑響頭。
然後我被指派帶住把黑色遮同一把寶劍，負責落山買五種色生果由落山、到達生果店、採購生果、到回道堂，每一個過程，我都諗緊其實把劍，打開會唔會係咸魚。

返到道堂，姨姨叫我同爸爸一齊跪低，就開始儀式、沒有期待中類似道士開壇嘅戲碼，姨姨只係著住短褲拖鞋 就念念有詞，果然藝高人膽大。

過咗一陣，姨姨表示女靈同意放手，條件係一堆金銀衣紙 同一套紙紮衣服，於是我哋立刻去衣紙店買咗一堆冥鈔，我仲幫佢 mix and match 咗幾套紙紮衫，其中一套，我幫佢揀咗套 Tiffany blue 嘅長裙加對黑布鞋，希望突顯女靈姐姐嘅女性美。

燒完衣紙之後，佢比咗一枝符水同一疊白色溪錢我哋，叫我哋去醫院幫細佬抹後頸，然後去十字路口燒咗佢，但佢講明，細佬唔會即刻好返，要再兩個星期左右先會康復出院。

當我哋帶住符水，進入基督教醫院時，個感覺，就好似帶住火水入去銀行咁，緊張而刺激。

去到醫院，真係唔識解釋，昨晚連認人都有問題嘅細佬，雖然唔係好精神，但最少佢自己可以坐喺度食緊車厘子，老豆立即施展四師兄嘅鬼影擒拿手，快速的用符水抹完細佬後頸，再配

以輕功水上飄嘅速度逃離現場。

由於細佬床位喺走廊外面，旁邊有個洗衣房，嗰晚，我同家姐兩個都見喺洗衣房掛住嗰張床單下面，出現咗一對著住粉藍長裙加黑布鞋嘅腳，企咗陣就消失咗，我心裡為佢喜歡呢套配搭而高興。

果然兩星期後，細佬終於可以出院，出院單上嘅病症係 Unknown。

出院後嘅細佬仍然虛弱，但佢好想親自入嗰間道堂多謝姨姨，於是我哋幾個家姐一人逗一啲咁扶佢入去。

入到道堂，今次陣營除咗短衫拖鞋姨姨，仲多咗白背心短褲以及赤膊抽煙兩位師叔。

佢哋一見細佬，就的佢入道堂跪低，表示要幫佢去除身上穢氣，我見白背心短褲師叔穿上紅色道袍在念念有詞，赤膊師兄站在我細佬身後準備，忽然香煙隨手一擲，就在細佬背後做類似不斷抽毛巾嘅動作，佢並無掂到我細佬，但我見當佢一抽，細佬都會跟隨佢動作向後扯，赤膊師兄每次將抽出嘅空氣向聚寶盆一擲，都會火花四濺，重複咗幾次之後，我細佬標哂冷汗，然後以吐出一堆綠色鬼口水作句號，說也神奇，離開的時候，細佬面色由暗淡轉回正常。

事後，細佬機緣巧合之下成了弟子，而比比之後每次出門賴親嘢，都係由三人陣營幫我解決。

圖片來源：https://tse2.mm.bing.net/th?id=OIP.0sWhG0ia0zVb_rYZlh-OmAAAAA&pid=Api&P=0&w=300&h=300

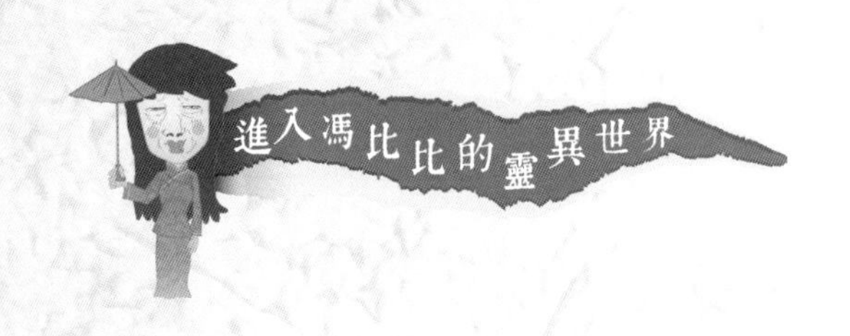

因果

我相信今天的果，是因為某天的因。
我們常聽到因果，有些人深信不疑，
有些人覺得很玄，而我屬於前者。

我用簡單的比喻，如果一個人飲醉酒是果，
那麼去飲酒就是他的因，
就算您酒量如何好，飲十支沒事、飲一百支沒事，
但再下去，就算飲水都醉吧！

沒有那麼多千杯酒已喝下去都不醉。

我們又常常會聽到，冤親債主這個詞語，
我沒有很深入的去探索，但我會將佢分為直接同間接關係。

您今世殺咗人，佢下世搵你報仇，呢種係直接關係。

即係我無直接隊冧阿地球，但我每日有份用唔同嘅資源，而家佢發緊燒，所以全球暖化，佢病而我哋唔理佢，就算唔係短時間，假以時日，佢最後都係會死，咁我哋無數曾經用過資源嘅人，都算間接關係。

有句老話，可以好直接咁解答間接關係。
「我不殺伯仁 伯仁卻因我而死。」

而在冤親債主嘅世界中，兩者是無差別，
只係差在佢直接定係間接搵閣下報牛。

善良係我嘅優點，太善良卻是我的缺點，因為我唔知點樣去拿捏，甚麼時候該幫忙，該幫到那個點要停，好心卻易做成壞事。

話說有次，有個朋友跟我說她媽媽近年開始有怪病，她沒有跌到、沒有外傷，可是整條右腿完全沒力，沒有拐杖與輪椅根本沒法行動，走訪過很多名醫、做過不同的檢查與報告，結果顯示一切正常，似乎藥石無靈，更不幸的是、她爸爸也在這個時侯，忽然遇上交通意外撒手人寰。

她說自從媽媽遇上雙重打擊後，變得沉默寡言，並有點抑鬱，而且拒絕進食，變得瘦骨嶙峋，所以問我可否求見姨姨，在姨姨答允下，我們約定周未出發。
第一次真正見到她媽媽，坐在輪椅上的她比我想像中更瘦，而

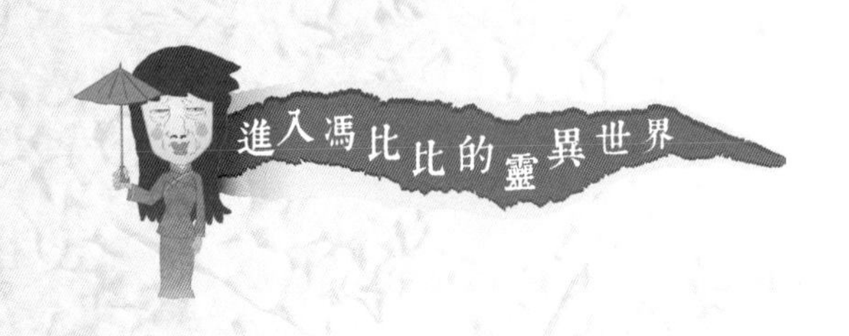

且她的神情，那種灰暗，好像不止是病，我隱約感覺到她身上散發的黑氣，而重點係我見到有個好惡嘅女靈，一直好似一條蛇咁纏住佢媽咪隻右腳。

推到入道堂一刻，其實姨姨已眉頭一皺，然後向我擰頭，我已心領神會，那是不能救的意思。

姨姨叫我先進去坐，然後過了不久，就把他們打發走了。

姨姨進來問我，係咪覺得明明佢好慘，
點解我唔可以幫佢趕走隻鬼？

我點頭。

姨姨話因為我只看見事實嘅表面就落咗判斷，認為女鬼小姐攬住人哋一定係佢錯。

我忍不住偷吃姨姨的糖果，但眼神有望住姨姨等佢講。

姨姨飲咗杯水之後，佢話：「剛才嘅善信，而家睇落佢好可憐，係因為你只知後果但不知道前因，前世佢係一個大戶人家嘅千金小姐，自細被父母寵壞，因此佢鐘意嘅嘢就一定要擁有，佢仲有一個青梅竹馬嘅同住表妹。

舊時代嘅婚姻多數都由父母安排嘅媒妁之言，佢嘅父母幫佢配婚比城中一名富翁嘅大公子，而佢姨母姨丈，就將佢表妹許配比另一書香世家嘅But子。

有次兩表姊妹一齊去城中挑選嫁妝及婚服時，碰巧撞見表妹嘅未婚夫婿在挑金飾，佢對呢位溫文爾雅嘅表妹夫一見鍾情，
返到屋企向父母大發脾氣，要求父母將表妹未婚夫換過嚟，父母拒絕。

她不知道。
表妹夫同表妹是兩情相悅的而表妹也珠胎暗結了。

最初，她故意裝作跟表妹夫偶遇，但其實表妹夫只當她是未婚妻的表姊而以禮相待。
但在她眼中，表妹夫就是對自己有意。
然後在表妹面前挑撥離間。

表妹清楚知道自己未婚夫的個性，但為免與表姐正面衝突她打

算耐心等到出嫁那天便算。

表姐一心橫刀奪愛，得知未來表妹夫堅決打算娶佢表妹時，老羞成怒。

就係大婚前幾日，搵人捉未來表妹夫嚟，
然後要脅佢如果唔娶自己，就傷害表妹。

表妹二人也不從，她先叫下人抬起表妹的右腿，然後她自己出盡全力跳坐上去，結果表妹的右腿當然即時斷咗，未來表妹夫掙脫跑去睇未婚妻傷勢時，表姐更妒火中燒。

命人當場打死二人，兩屍三命。

表妹死前，看著表姐恨意難平。

表姐沒有悔意，還把表妹的眼球挖出，擲去餵狗。

姨姨說問我，那你現在還覺得你朋友媽媽可憐嗎？

後來不久，朋友媽媽的眼被不知名細菌感染，為保性命，進行了眼球摘除手術。

術後不久，便因併發症過世了。

是巧合 還是前世因今世果？

善有善報 惡有惡報
若然未報 時辰未到！

我只能選擇在今世盡量為下世的我
做多些好事。

圖 片 來 源：https://fsv.cmoney.tw/cmstatic/notes/capture/467194/20170105115909887.JPG

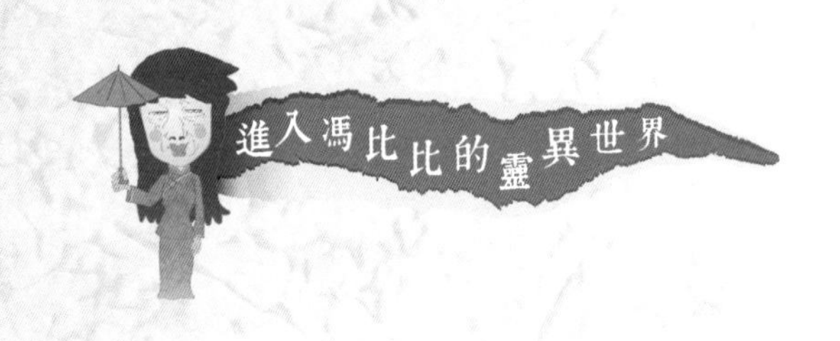

嬰靈

世界上，有好多人用盡方法都無辦法懷孕；同樣地，有好多懷孕嘅人卻用盡方法墮胎，嬰靈就係咁樣嚟。

比比有次搭地鐵去到九龍塘站，我見到兩個少女上咗車，佢哋本應青春無敵，但係卻濃妝豔抹，貌似雞蜜嘅二人，實際上喺度明爭暗鬥，我無心偷聽但佢哋實在太大聲，兩人都有做PTGF，少女 A 在炫耀「男友」買給她的 LT 包包，雖然我已過了要靠名牌去抬高自己的年齡，但真的假的 我還是看得出來，看著那不對稱的拼接位，我想到淘淘的超 A；少女 B 也在顯擺著一只叫鼻胸牙的大力士名錶，沒記錯的話好像要十幾萬，但是當她扶著我旁邊的扶手時，我見她手錶上的大力士品牌，好似少了一個 X，或者那是特別版吧。

我看一看她們，她們很自豪的看著我，其實當時好想 45 度角一人車一巴，然後叫佢哋唔駛鬥 ，您地打和，一人起碼落咗兩個bb!

仲好想鬧鬼醒佢哋，如果一個男人真心愛你，佢唔會忍心要你咁樣傷害自己身體，咁多種避孕方法，總有一間喺咗近！

我望住嗰啲嬰靈好可憐咁跟住佢哋落車。

比比嗰日出去，其實係約咗個好耐無見嘅朋友，佢同我講呢排晚晚都發惡夢，每日都喊醒近來又諸事不順，下刪數百字，我諗，佢其實係想叫我幫佢睇吓佢發生咩事。

一入到薄餅帽，我朋友向我招手，我唔識相學都睇到佢一定行緊衰運，佢讀書時都算係校花，但而家以國寶級嘅黑眼圈配以火柴人嘅身體，其實佢都幾似鬼，重點係有個黑灰色勁唔妥佢嘅小朋友跟住佢。

我直接了當的殺入正題，佢話佢已經生咗一個女，但佢奶奶想要仔，所以佢幾年前同近來呢次懷孕，照咗 T21 知道性別係女，佢老公都話唔要，聽完我好嬲，而家咩世代，我係佢第一件事應該重新考慮呢段婚姻，同好好做足安全措施去保護自己。

我本身真係好唔想幫呢種人，但咁啱我見佢嘅嗰個星期尾，我要去離島搵姨姨，好多讀者問比比道堂資料，我想講姨姨要知道咩事，佢再問準聖杯，先知道可否幫忙，否則，入去都係徒然，於是我問吓佢見唔見得我呢個朋友。

係姨姨同意之下，我帶咗佢入道堂，去到門口，我朋友已經無啦啦嚎哭。

姨姨今次拎埋條雞毛掃，惡狠狠咁望住我朋友，或者，正確來講，佢係望住黑人小子，然後我朋友好乖咁拖住姨姨 上咗觀音娘娘度，我沒有上去打擾，大約兩個鐘之後，佢哋一齊返落嚟，我朋友明顯係喊到對眼紅晒，而我見小黑人無再跟住落嚟。

姨姨話我朋友前世係一個農婦，有次經過河流救咗一隻兔仔，令佢逃過一劫，所以隻兔仔幾年前本應化身為佢女兒返嚟報恩，但結果佢哋落咗個 bb，第一次佢知道媽咪都唔想而原諒咗佢，然後佢好乖咁係度慢慢再等第二次機會，點知，佢哋重蹈覆轍，令佢心生怨恨而變成怨靈，經過誠心溝通之後，怨靈原諒我朋友，答應跟觀音娘娘修行，化解怨氣後再投胎。

呢件事，我無辦法得知係咪真，但我嗰個朋友結果真係離咗婚，三年後再婚，好快就生咗個仔，而唔知係唔係巧合，佢前夫生意失敗咗而前奶奶則肝癌過咗身。

姨姨同我講當一個生命死亡後，其實佢需要經過好多劫難，積返好多功德，又或者前世因，今世果嘅情況下投胎，有啲係嚟報恩；亦有啲係嚟還債。

現今科技發達，如果照到 BB 唔健全或有重大疾病，要忍痛終止懷孕是相當無奈，但如果能預防或避免，我哋都唔應該去剝奪佢哋投生嘅機會。

圖片來源：https://kknews.cc/news/re3xk8n.html

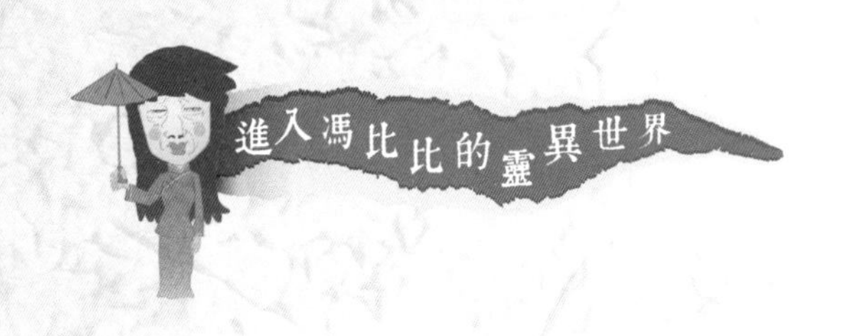

養鬼仔

有次飯局，同事的向我說起他夫婦朋友家中的怪事。

他們凌晨上廁所，不止一次看到黑影企在裡面，可怕的是，丈夫看到女性、太太看到男性；他們家中的廚房，每晚凌晨都會有碗碟或調味料跌爛，而肯定的是，東西放得很穩，也不是風的問題。

還有每晚客廳，都聽到有人在聊天，而家中的監視機，每晚凌晨總有一段時間失靈。

我叫他們自拍一張合照及影家中給我看看。

一看，嚇了一跳、夫婦二人的氣息很差，相片中，男的有個長髮半邊女人頭在旁，面目猙獰；而女的則有個血肉模糊的男生頭在旁。

清晰得有如一家四口合照。

我問了他們有關房子問題，是男生從小長大的家，家人買的。

這有點奇怪，那應該不關房子事。

我問他們何時開始，他們說近幾個月。

於是我再問他們這幾個月有沒有發生甚麼特別事，或供請了甚麼聖物。

他們說沒有。

於是我把照片給了道堂姨姨看，她叫他們進去道堂問問。

後來姨姨告訴我，他們一定是養鬼仔。

因為纏住他們的是鬼仔的父母，原本一家三口打算開車去郊游，誰知遇上車禍慘死，停屍間的人還把孩子的屍體賣了給當地巫師制成鬼仔。

巫師用了一種類似孫悟空緊箍咒的咒語，當供養者有所求，就用這痛苦的咒語迫鬼仔去執行任務。

情況就如獅子與馴獸師的關係。

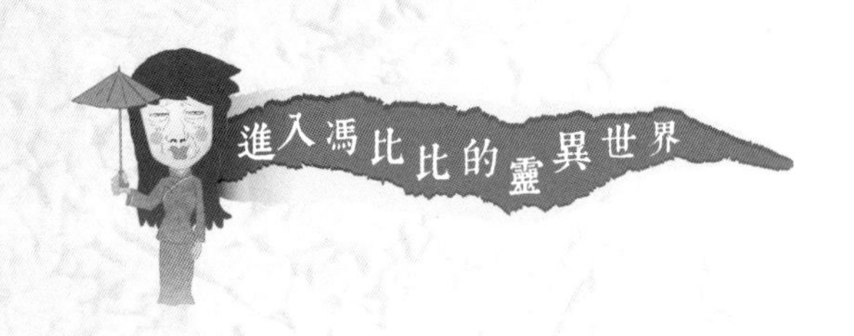

當父母當然鬥不過巫師，但天下沒有不保護自己孩子的父母，因此一直纏住供養者。

姨姨原本已跟夫婦說好，鬼父母只要求他們把鬼仔屍體送回泰國某寺廟與他們合葬，就不會再纏他們，如果他們不照辦，就叫他們不用再去了。

然後姨姨提醒我，千萬別再接近他們。

我聽到，其實很生氣，要是我早知道，我絕不會幫忙，我最討厭別人欺騙我的善良，可是，人總是貪婪的，同事夫婦覺得鬼仔能幫助，心想就算要送回泰國，也先多求幾次。

這次他們徹底惹怒鬼父母。

除了最初每天身體出現手指形瘀青，丈夫還無故在工作時，誤把手放入機械中，夾生把右手切斷了。

老婆亦無故精神開始錯亂，連工作都丟了。

他們再次前往道堂找姨姨求救，這次被拒見，他們發茅更用木椅丟進道堂，說甚麼麼見死不救、假仁假義夾雜一堆粗言穢語。

我最討厭的是那種從不覺得自己有問題的人，
好像，姨姨一早有跟他們說了不是嗎？

隔了幾個月，聽同事說起他們在國內旅行時車禍死了，
而且，女的還懷孕中。是天意還是巧合？
原來有些人是真的救不了。
藉著呢個事件，順便講下泰國古曼童同鬼仔嘅分別。

古曼童（又稱靈童）係當一個可憐豬嘅嬰靈同意歸依我佛，泰國寺廟正統嘅龍婆（和尚）或白衣阿贊（法師）就會幫手將佢哋嘅靈魂注入一個佛牌 / 泥像 / 人偶像，令佢哋可以透過協助供養佢哋嘅人，嚟賺取功德而可以早日再投胎為人，佢哋唔係萬能，但係善良唔會傷害供養者嘅。
鬼仔（又稱碌葛）只有黑巫師先會透過巫術將人胎屍體而製 ，

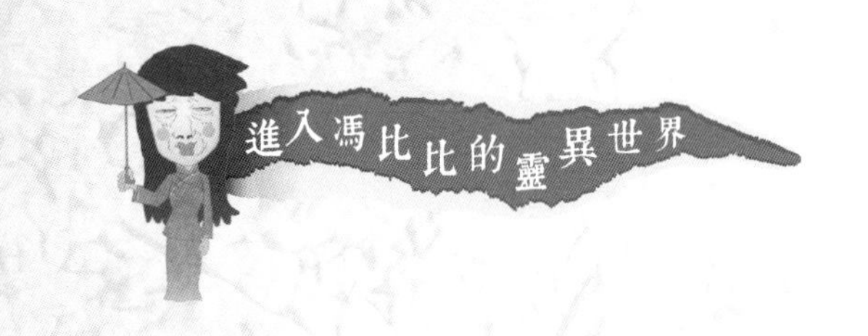

唔需歸依，以佢嘅怨氣發力（最勁係由死於非命兼一屍兩命嘅孕婦肚中取出嘅嬰屍），性情就好似 Darling Gor 喺某電影場口中評論無相王一樣「好難捉摸呀！」，只要討佢哋歡心就可以得到最大嘅幫助，但佢哋係會妒忌，甚至傷害供養者或佢屋企人。

所以當大家想借用更多神秘力量時，
小心惹禍上身。

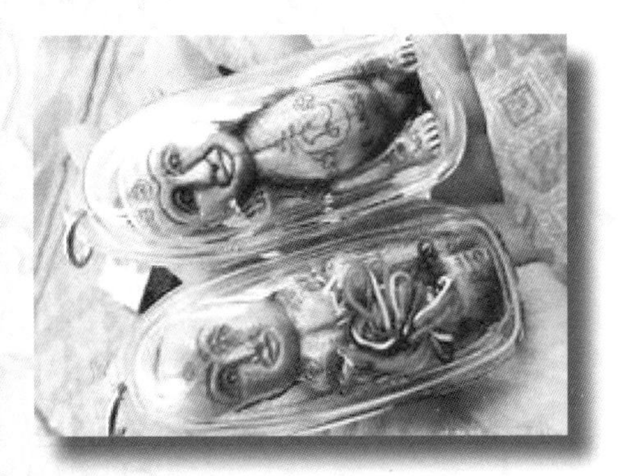

圖片來源：https://tse1.mm.bing.net/th?id=OIP.l_ob3vL3UUsLUhsx4R6huwHaFj&pid=Api&P=0&w=231&h=174

潮洲之行

話說嗰時我大約喺中三，父母就習慣年初三都帶我哋4姐弟同埋啲親戚組個短線團，以前國內平，所以嗰年就去咗潮洲4日啦，當時無而家咁多網上資料可以預覽，單憑睇住張行程表嚟暗自幻想，嗰次行程呢，係要住兩間酒店嘅，導遊話，頭兩晚酒店呢就普普通通，但第3晚嗰間酒店呢，喺潮洲係好高檔架啦，我望一望個名，嘩！潮洲xx麗晶大酒店，心裡滿懷希望與期待，眨吓眼就到第三晚，去到酒店門口，我即時深深體會到sing爺係007入面住嗰間麗晶大賓館嘅感受，我諗我同導遊之間對高檔嘅標準有啲差距。

派咗房卡，搭住嗰部比我嬤嬤仲老嘅電梯，大家都分外安靜，廢事會墜軌！我哋三姐妹一間房，打開房門嘅第一下，我認為設計師用色好大膽，由牆到門都係兵兵球桌嗰隻綠色，盞燈係好親民嘅白色光管，重點係成間房無窗，好似密室咁。房入面有兩張床，床中間有個電視櫃，勁舊式上面有制可以轉電視台嗰隻，部電視係類似貞子爬出嚟嗰種，床對正有張木嘅梳妝台同張櫈。

由於舟車勞頓 加上天氣好凍，三姐妹其實都攰，我比家姐同阿

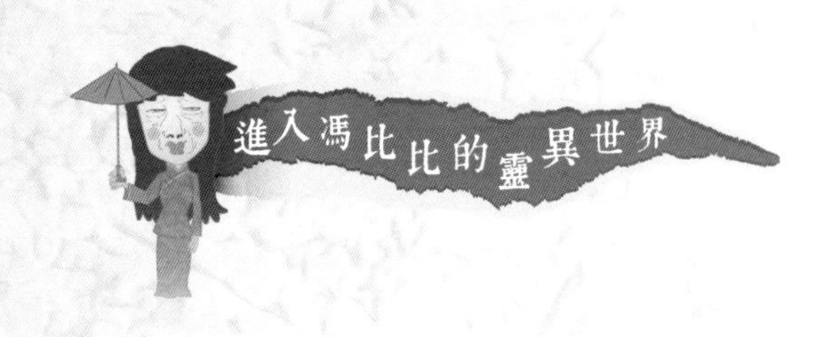

妹沖涼先，我最後，所以我出嚟時佢哋已經熄燈訓咗，我習慣唔會關廁所燈，咁起碼都有小小光，我同家姐一張床，阿妹自己一張，我訓嗰個位係可以望到廁所，諗住睇陣電視，睇咗一陣我忽然描到廁所度門，喺度慢慢關上，然後剩返廁所門上面條空隙透出嚟嘅光，仲有鎖門「的」一聲，之後傳嚟沖涼開水聲。

我望下阿妹同家姐訓到隻豬咁，再望返廁所門隙開始有沖熱水涼嗰啲蒸氣，我做咗當時最大膽嘅決定一熄兼背住個電視，匿個頭入張被扮訓，我仲記得我係一路震一路震，隔咗一陣，水聲停咗，然後我聽到有人拉開梳妝枱張櫈發出嘅聲，然後喺冬天梳頭嗰啲靜電聲，佢頭髮都應該好長下，我好驚，攬實我家姐，希望我可以快啲訓著，然後，我感覺到有人坐咗落我哋張床褥，然後我聽到有人按個電視櫃啲制，個電視自己開咗，我印象好深刻，電視播緊劉華唱嘅《冰雨》，而我內心都百感交集，再攬緊我家姐一啲，我瞇埋眼，希望佢快啲聽完就走，終於電視又自己熄咗，間房回復寧靜，隔咗一陣，我想伸返小小個頭出被度透氣，結果一開被，佢笑住望住我，然後用國語講：「不用裝了。」，我還來不及反應，我家姐已經尖叫彈起身跑出對面房拍我媽咪門，然後我緊接其後，輸了一個馬鼻進入媽咪房間，唔記得講，我家姐同我一樣都係高靈，佢話我第一次

攬實佢時，已經知道咩事、我認我哋係唔夠雷嘅，
但當膽量比雷氣細嘅時候，我哋做咗最必然嘅缺定，結果我妹
自己一個人喺嗰間房訓到天光。

圖 片 來 源：https://a-lifeblog.com/img/train/history/12/12-07_20140517/large/img03.jpg

黑仔猛鬼團（上）

話說當時 19 歲卜卜脆，加上初戀甜蜜蜜 就當然要去下旅行啦、嗰陣岩岩出嚟做嘢，以前未興自由行 又未有廉航，兩條窮 L 只能睇下以我哋薄如蟬翼嘅財力，有邊個國家可以去，於是乎我哋就去銀行中心報團啦，結果一上到去經過「食得招積，住得舒適」入面有個姨姨話 $1000 唔駛，只須 $999 就可以去曼谷 5 日 4 夜，我就好似阿寬遇上彌敦道 9 號，抖零剪個髮， 便宜 must 貪咁嘅心態仆入去報名，今次我醒啦，問定佢酒店啲名睇下伏唔伏， 佢亦唔含糊，立即比咗行程紙我睇，又係住兩間，我暗地睇下啲名， 雖然我英文唔算出色但見到兩晚又伊利沙白又皇宮，心諗「今次掂。」 即 pay。

來到出發的一天，心情勁 high，唔知道係因為第一次搭飛機定因為第一次去泰國，更可能係咁大個女，第一次有男朋友呢個物體做伴遊，行完水上市場，再行咗幾個行程，又嚟到今晚嘅酒店時間，當去到酒店～我發現我實在太易上當啦！

首先酒店位置極之隱蔽同偏僻、酒店勁殘舊，外觀係單棟式約 20 層高 ， 深藍色嘅外牆，然後成棟大廈用攝青鬼色射燈射住係咩玩法？ 酒店名個霓虹燈係紅色字體 、閃下閃下，唔知係咪我太攰，我見到後面個字係 hospital！而根據佢外型、我同意 hospital 係比 hotel 更貼切嘅！您絕對會覺得如果無鬼先至係反常！

見到導遊拎傳統嘅酒店房鎖匙，係鎖匙唔係房卡，已經心知不妙，然後導遊仲語重心長咁叫團友有咩事可以搵佢。上到房間，如果以玩鬼屋探險嘅角度去欣賞呢，間房我比足十分佢，殯儀藍嘅牆， 明明無風都飄飄下嘅白色窗簾、最緊要係您有冇見過酒店兩張床係同醫院嗰啲床一樣，仲有埋嗰個防護欄！By the way 已經肉隨砧板上，仲有咩方法、原本仲期望有個浪漫夜晚嘅慾望，即時熄滅！

咁去旅行，搭車又搭船，人始終會攰 都要面對現實，我入去沖涼時，我聽到有人唱歌（我住 18 樓），我當係隔音差、其實一入房 成個氣氛已好有壓迫感，好似好多人喺度咁嘅感覺當我出嚟嗰陣，見我男朋友放緊衫入衣櫃，我已經直接見到有兩個老伯，掛住喺衣架度搖下搖下，如我所講，我覺得好合理，就當睇唔到，亦無出聲，諗住當唔知就算。

由於明天 morning call 6:00，所以我哋上床訓覺、當我一合埋眼，我覺得房間入面氣溫跌咗好多，空氣間亦彌漫住消毒藥水

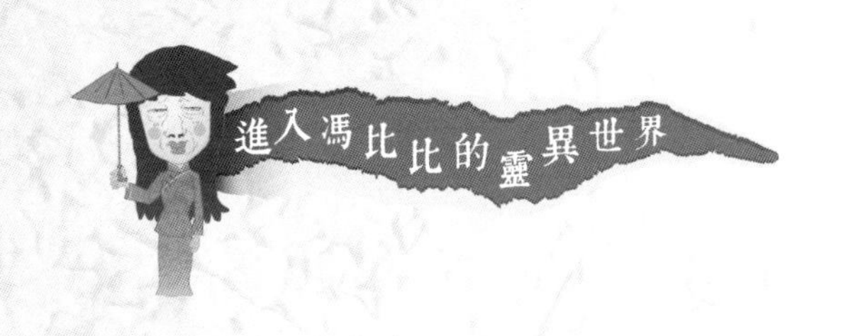

嘅氣味、我心諗阿伯 您掛住係衣架好地地，唔好出嚟好 woo，有過潮洲嘅經驗，我稍稍用力將男朋友嗰邊嘅被拉過嚟扮凍遮住自己，我今次死都唔打算開眼，無眼屎乾淨盲！過咗一陣，我聽到我男朋友狂咳，我係被入面吸下，shit！我拉得太大力，佢完美咁暴露係空氣中，我唯有死死氣打算盡量小心啲，係唔需要露個頭出去嘅情況下幫佢蓋返張被，又無理由夾硬凍親佢架嘛！

唔怕鬼一般嘅對手，最怕豬一般嘅隊友，佢忽然轉身射個三分波，有將我所有被捲走咗我正想搶回我個保護套時，我呆了、我哋床邊圍滿咗著人！無聽錯，係圍滿咗！睇佢哋有醫生有護士有病人，面無血色，眼神無焦點咁睇住我哋！！嗰一刻，我嘅理智 已經完全崩潰，我已經唔介意自己著住 hello mimi 嘅睡衣，行李都唔要，一路喊 一路嗌，即刻扯佢走。

落到大堂，我見到除咗我哋呢 pair，仲有起碼同團嘅幾 pair 團友都喺度，最震撼嘅係、導遊都在其中，睇佢個樣同裝扮，條友根本就係上過間房，就係咁您眼望我眼，坐到天光，仲係酒店職員幫大家拎返行李落嚟。

第二朝我哋問返當地領隊，佢話呢間酒店塊地，前身係醫院、有次出咗事故，實驗室洩漏咗一啲不明氣體，死咗 70 幾個人，但傳聞係政府唔想賠錢，於是封鎖咗個新聞。

這是這個行程的第一次「驚曆」！

圖片來源：https://tse2.mm.bing.net/th?id=OIP.c5tneIcbWE_aWeixt28HWgHaEK&pid=Api&P=0&w=294&h=166

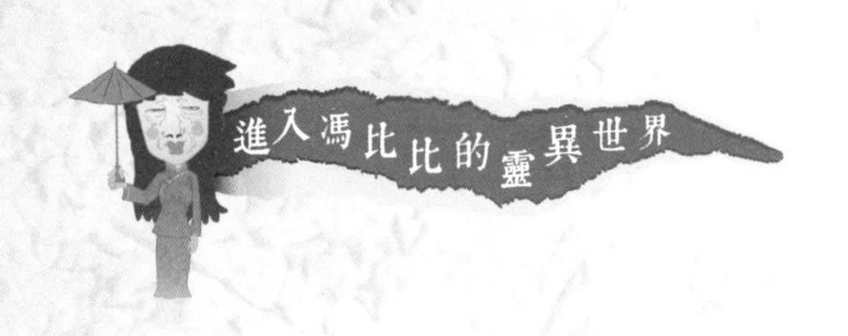

黑仔猛鬼團（下）

離開咗醫院酒店之後，我嬲咗我男朋友，佢一定係有心搶被令我比人圍，一定係咁，除非唔係。

經過頭一晚嘅驚嚇，第二晚嘅失眠，所以好多景點，不如講係購物點，我開始唔係好願意衝住去被宰割，望住掛係我前面嗰30包家庭裝嘅綠色包到成隻糉咁嘅椰子糖；同埋嗰20包脆豬肉片，我個心好亂，開始懷疑自己嘅智力，係咪第一日嚇到低咗，當務之急，打算晚上回到酒店時，將隐神入面嗰20包辣魷魚，拎返出嚟，再諗下點樣玩俄羅斯方塊將全部零食放返入去，有了數次經驗，我唔想再對酒店有咩諗法，無期望就無失望，right？

食完晚飯之後，厚面皮導遊又熱烈地介紹當晚嘅酒店，到咗酒店門口，我心諗：「咦，今次好似ok woo」，入到大堂，係偏紅色嘅設計，除咗酒店門口有幾個細路仔靈體喺度玩之外，暫時都無乜嘢，我竟然唔爭氣地對酒店房間再次重燃希望，到底我當時要有幾高智能先咁易信人呢！

導遊帶領我哋行去酒店嘅則客廳以安排分發房間，在路上，嗰種壓迫感又嚟啦，我覺得忽然間好熱好焗，空氣入面有一陣類似 bbq 燒肉嘅味，一路行都一直聞到，我以為餐廳係附近，所以無理佢。

今次入到房，其實好正常，只係我解釋唔到嗰陣揮之不去嘅燒烤味，當我打開個行李望住跌晒出嚟嘅嘢，好，去沖個涼先。

我沖完涼攤係張床有冷氣涼浸浸，自自然然就好想訓，我心諗反正呢間酒店住兩晚抱住聽日好大機會仲會作最後衝刺嘅決心，我決定唔執行李訓陣先，剛剛恰著、我忽然間聽到耳邊傳嚟細路仔嘅笑聲，我心諗，唔 L 係呀嘛，又嚟！！

男朋友當時去咗沖涼，我感覺到有人行咗上張床，然後彈跳，似乎係小朋友，我諗起酒店門口嗰幾個，然後我的肚皮上 多了一股壓力、好似有個人伏咗喺您肚腩度嗰種感覺，我心諗：GG了！ 我扮訓、然後我好清楚聽到一把細路仔聲 講咗兩句泰文，我登時心如止水，到抵我係參加咗 $999 嘅超值旅行團定係超級猛鬼團 ，過咗陣 肚上壓力消失咗， 我打算即刻起身跑去搵男朋友定下驚，然而、我忘了潮洲嘅教訓我一張開眼睛，就見到一副燒爛哂嘅女人面伴隨住嗰陣燒烤味，好惡咁衝向我講咗句泰文，然後喺我面前消失。

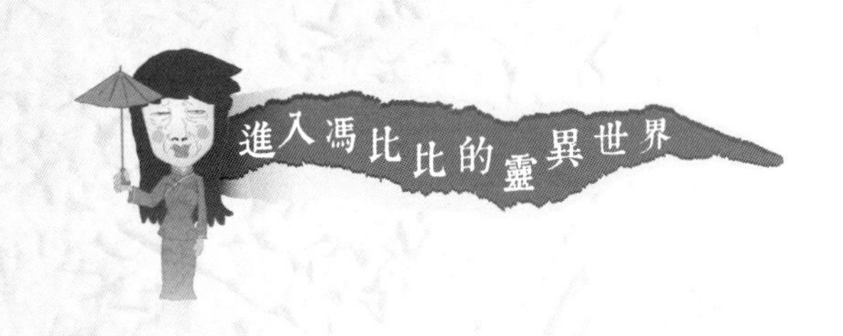

我大聲尖叫。
我男友裸跑出嚟。

然後我哋眼神對望、乜都無講。
佢好快著返哂衫 拖我走。
嗰刻我覺得佢係世界上最了解我嘅人。

去到大堂，我哋打電話搵領隊，佢聽咗來龍去脈之後，叫埋泰國當地導遊陪我哋返房睇下。

入到房，我哋真係唔知點樣解釋，我個行李箱自己轉咗位置、豬肉脆片被亂擲到全部碎哂 有一包椰子糖被拆開咗寧寧舍舍 被丟了在床下底，大家心領神會地對望，然後默默離開房間，零食身外物我唔要了。

到咗大堂，我將係房聽到嗰句泰文詞語講比導遊聽，而佢又估估下咁翻譯，到而家我都唔肯定佢係唔係老點我。

小朋友：我想食糖同埋姐姐陪我玩
惡女：點解你條八婆扮哂嘢唔理我兒子。

然後導遊比咗個佛牌仔我旁身，原來大約喺 90 年嗰陣，係呢間酒店對開嘅天橋發生過運油車爆炸事件當時死咗 100 人，由於爆炸嘅威力太突然而強勁，所以附近幾棟民房嘅人多數走唔切而喺災難中遇害、我哋今晚住嗰間酒店嘅則客廳被徵用為臨時停屍間，好多住客都話見過好多著咗火嘅人影、或叫救命嘅聲等，搵咗好多高僧超渡都唔太安寧，所以佢哋當地人唔敢亦唔曾住呢間酒店。

結果 5 日 4 夜，住咗 2 間唔同嘅鬼酒店，我返到香港大病咗一場。

圖片來源：https://d1bvpoagx8hqbg.cloudfront.net/originals/experiencia-em-bangkok-tailandia-por-chukiat-07ba318bf7e769d011669a0e6765b6ad.jpg

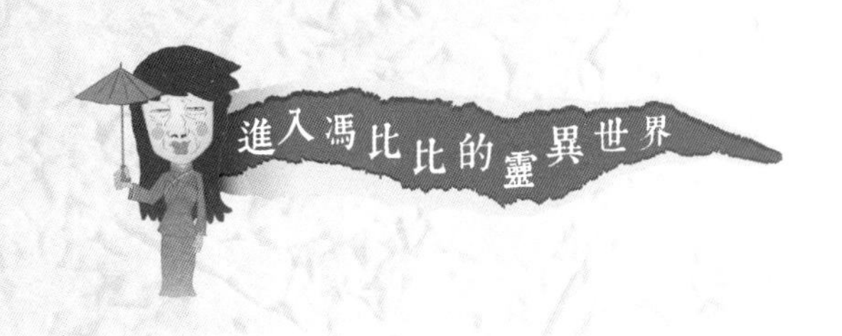

恐怖情人

愛你的願意成全你；太愛你的會毀了你。

很多事情，只要我們願意用心的、
努力的做總有一天可以獲得成果。
唯獨愛情是一門很深的課程，無論您條件如何優秀、如何博愛多才、人生成就如何頂峰，它就是不賣帳，付出跟得到的不一定成正比。

理智絕對是與感情掛鉤的；
而理智一旦斷了線，往往帶來沒法估計的後果，可能你不會知更不會想知，每十宗兇殺案的死者，超過七成是死在有過感情關係的人手上，而行兇者是醫生、教授、專業人士等案例常有聽聞，所以這跟學識無關。

比比身邊有很多朋友都曾遇過所謂的恐怖情人，藉著愛你的名號，作出道德綁架、身心虐待，愛下去沒可能，離開他亦不能。

阿芝同阿泰係我去旅行時識嘅團友，因為後生仔好快混熟，一齊去過幾次旅行，阿泰表面還好，但您會明顯感覺到佢對任何行近阿芝嘅雄性都十分有敵意。

有次做 spa，我第一次見到阿芝赤裸裸，雪白的肌膚上，卻有不少瘀痕，然後在整個 spa 嘅過程、我知道咗好多奇聞，例如每日要同阿泰傾最少 50 次電話、食 lunch 時一定要阿芝帶飯自己食、同佢一齊手機時要交比阿泰，所有來電由佢過濾咗先可以聽，最重要佢哋仲係同層街坊，家長互相認識。

佢哋由中二已開始拍拖，最初阿芝覺得好有安全感，但佢越嚟越覺得好辛苦，每次有問題，阿泰就會像走到阿芝家門口激動發狂咁叫又或者封門口唔比佢屋企人出門等等一堆瘋狂事。

阿芝算幾靚，有人追佢都好正常，有次阿泰等阿芝放工，剛好見到有人送花去公司比阿芝，而阿芝根本唔知係邊個送，阿泰亦唔聽佢解釋。嗰晚開始，阿泰每晚迫阿芝脫光同佢訓、虐打、性虐、語言侮辱……亦開始不上班，每天去接送阿芝。

事已到此，如何愛？阿芝沒敢走，只因阿泰常恐嚇要傷害她家人，特別是她還在小學的妹妹。
如何忍耐，亦終會忍無可忍的，有日阿泰接了阿芝的細妹，
然後帶上阿芝公司要脅她辭職；早已對阿芝由憐生愛的上司，

毅然報警，而他本身也是跆拳高手，成功保護了阿芝兩姐妹的安全。

阿芝終於狠下心分手同申請咗禁制令。
並襯阿泰拘留期內舉家搬走了。

阿泰出嚟後好似癲咗咁瘋狂搵阿芝，
我都比佢恐嚇過，過咗半年，佢飲醉酒開車自炒，當場身亡。

事情原本應該告一段落，阿芝已跟上司一齊咗，但佢知道消息後，念在朋友一場，更念在阿泰父母曾經好錫自己。

阿泰出殯當日，佢去咗靈堂上香同鞠躬。

點知，呢個係惡夢嘅開始。阿芝開始每晚發惡夢，
夢見阿泰打佢、甚至侵犯佢！
而佢醒返身體，包括乳房同大腿內側
都出現好似掌印嘅瘀黑。
連佢妹妹都每晚發惡夢，夢見被泰哥哥打，小腿亦都出現手指型嘅瘀黑。

阿芝成個落晒型，瘦到皮包骨，所有同住家人皆精神萎靡。

阿芝男友更無故遇上車禍要截肢！

我叫阿芝影張相比我睇，我一睇嚇咗一跳，
阿泰好惡咁企咗喺佢旁邊攬實佢！
似乎將自己嘅死，全都怪罪阿芝。

然後就嗰晚，阿泰就嚟咗我屋企門口警示，當晚仲入我夢警告
我唔好多事。

我不喜歡插手別人的事，但也看不慣無賴，無論是不是人。
來到這，我很感謝一位術士贈我的話，
我會開始試試拿捏幫人的底線，不要令自己惹禍上身。

我把阿芝的相片發給姨姨，
連她也沒信心要向他師公請示。

三天後，姨姨叫我帶她們去道堂，
我從沒見過她們如此嚴陣而待。

阿芝進去一陣，我終於見到阿泰由她身上閃出，狂燥、火爆、暴戾、野蠻集於一身如同某電影場口內那個被注入了武器百科的黑甲改造人一樣。

他們以 6 人來應戰，亦示意我們任何人不要進內堂，難道他們要組成黃老太戰隊？

氣氛一片凝重。內堂偶爾傳出師兄們的喝止聲，也偶爾有人撞門。

我們在外邊等了快 4 小時。

內堂門終於打開，6 人戰隊個個滿頭大汗、氣喘如牛，阿泰執念極深，無法說服，最後由大聖爺附於堂主師兄身上，才把阿泰收服。

可是姨姨跟阿芝說，阿泰被收服前下了重咒，
如阿芝不想守寡，這輩子可以拍拖同居。
但絕不能結婚生子。

阿芝到現在，還是跟上司在一起
但有聽從姨姨說的，沒有註冊結婚及育兒。

愛一個人，沒有不對，
如果愛，該放手時還是該放。

圖片來源：https://tse4.mm.bing.net/th?id=OIP.QF0a1S1ocpp8JoUf_A0WogHaEi&pid=Api&P=0&w=261&h=161

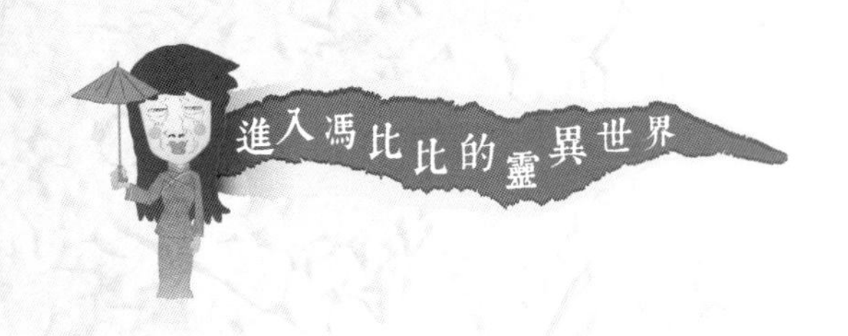

和式初體驗

廉航嘅出現，對長期身陷窮鬼界嘅我猶如再生父母、去日本再也不是夢！於是乎、我同 1 個 fd 加細妹兩公婆就一齊出發去大阪自由行，我哋訂咗 5 晚御堂筋東站前、新開張嘅酒店我哋嘅 booking 應該 5 晚都係吸煙房，但 check in 時，酒店話第一晚安排唔到吸煙房要第二朝先幫我哋轉，好，兩間尾房心底一沉，不過一晚半晚，我忍！入到房見到成塊鏡對 L 住床，我心諗咁嘅設計係咪方便拍 Av 呢？我再忍，過咗陣，同房朋友落咗街食煙。

由於冬天，開住暖氣好焗，我就去打開小小窗啦，我一擰轉身，聽到有人好急促咁敲我個窗，我係鏡反映見到出面窗外面有個著維修人員工作服帶白色安全帽嘅男人喺度敲窗，大佬呀，就算您係人我都未必開啦、何況我住 14 樓尾房，外面已經外牆，我梗係老虎蟹都扮若無其事，「我見你唔到，我見你唔到」，再加獨門絕招「震住扮訓」啦，當時我心諗，好在喺外面，唔諗由自可，一諗我忽然成個人𣊬唔到，然後我感覺到有對好凍嘅手，夾硬張開我對眼，金翅仆佳鳥！然後，我望住嗰個維修工人，由塊鏡向住我行緊出嚟，距離我唔夠半米時，房門「咔」一聲，我 fd 返嚟，佢即刻唔見咗，我無出聲，諗住反正聽日轉房……我再忍埋你！ 沖完涼訓覺嗰晚都無乜嘢。

第二朝一早我哋去換房，覆佢個機！只係換咗唔同層，仍然係間格一模一樣嘅尾房，我嗰刻諗，唔通連個天都唔鐘意我？

第二、第三晚，都相安無事。

第四日我哋嘅行程呢，係去京都體驗下著和服，我哋一早已經預約咗、去到登記完，佢就帶我哋三個去 2 樓選和服啦，店舖裡面，有個識廣東話嘅員工，佢熱心地介紹我哋知，我哋個套餐可以著咩和服，如果加錢又可以著邊啲，然後點選腰帶、掛飾等等叫我哋慢慢睇。

面對住過千件不同款式嘅和服，沒有最靚只有更靚，我相信女性讀者會明白嗰種選擇困難症嘅糾結。

我行下行下去到最入果條巷，巷尾有對模特兒公仔、男嘅著緊傳統嘅日式婚禮嘅和服，女嘅著緊傳統稱為「白無垢」嘅純白色日本和服，由於我未正式見過和式婚禮嘅服裝，於是好奇咁行埋去睇下，當我望緊男裝嗰件和服時，我忽然覺得有人用好峰利嘅眼神掃咗我一下。

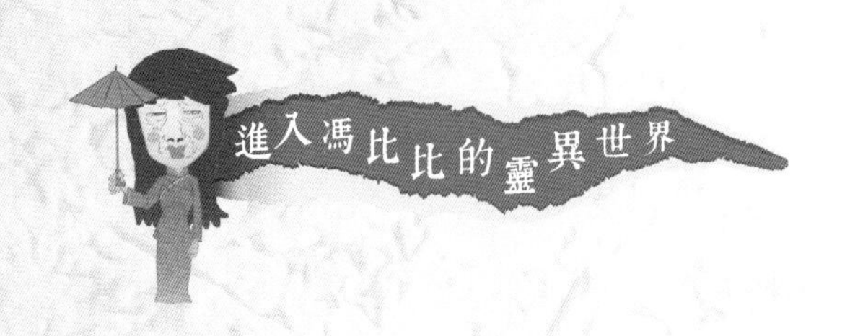

當我想伸手摸下男裝和服個手感，唔知係咪我敏感，我覺得「白無垢」好似向我呢個方向郁咗一下，而佢表情好似由幸福甜笑，變得嬲嬲豬咗，係唔係我多心都好，我縮沙，然後快快手手隨手選咗一套粉藍色底、帶粉紅色花花嘅和服就去咗當地著名景點影相，嗰日大家玩得好開心，我亦忘記咗呢個小插曲。

當晚返到酒店，唔知係咪因為全日都係室外，而京都當日又只有 3 度左右，我似乎感冒了、隨手啪咗粒藥就背住度牆好快訓著咗，半夜時分、我感到後面塊嘢越嚟越凍，好似覺得多咗張好凍嘅被，掃我對腳，我好快望一望，張白色被喺腳底，我踢一踢開張被，再訓。

圖片來源：https://tse1.mm.bing.net/th?id=OIP.tOtG2tGQxL5UbcVICf8XhgHaE8&pid=Api&P=0&w=243&h=163

去到第五朝，我發高燒了，我叫佢哋自己出去玩，唔好理我，買嘢返嚟比我食。

體溫越嚟越高 ，但個人卻越嚟越凍，繼續沉睡，迷糊間，我Da 見到有個著白衫嘅人企咗喺我前方，我以為係我朋友返咗嚟拎一拎嘢，我繼續訓，過咗陣，我又聽到嗰啲木屐踩係地板發出嗰種咯咯聲，果時個人好辛苦覺得好嘈、慳慳地又無乜力，諗緊酒店嘅隔音點解差成咁。

背後，又傳嚟刺風入骨嘅感覺、我覺得有啲金屬嘢係我耳邊咭下咭下 ，好似冰針咁，我以為我朋友幫我墊咗張被係我背後幫我焗身汗，我覺得唔係咁舒服想整一整佢，就喺呢個時候，我見到一對好白著住白木屐嘅腳，搭咗喺我小腿，即係話、呢對腳嘅主人就喺牆同我背脊之間嗰個位，我即刻嚇醒晒，再望一望塊鏡，雖然鏡只有我自己、但我發現原來我哋酒店房張被係全黑嘅根本無白色被。

後來返到香港，我每晚發夢都見到「白無垢」嘅背影，有幾次扎醒都隱約見到佢好似坐咗喺床尾，而且即使一直看醫生仍是微燒不退，於是再次入去道堂搵姨姨幫忙。
入到道堂，姨姨已直接問我係唔係去完日本。

我問佢點知，佢話有個著白色和服嘅女鬼跟住我返嚟，
而且佢仲好兇惡，我講咗係日本發生嘅事，
對方指不喜歡我摸他丈夫，覺得我故意冒犯佢，
而我真心覺得無奈，經過一連串溝通、道歉，
佢先願意原諒我。

以後，都係眼看手勿動好了。

童眼

話說有一年，比比偶爾從報章上看到深圳有個當時新開的綜合樂園集酒店跟景點於一身，於是乎，我們扶老攜幼包團出發。

由香港坐直通巴士，大約二小時左右就到達了樂園，那時是6月底，在門口拿過樂園指南，發現園內分成很多不同區域。

門口有兩條扶手電梯通往酒店大樓，最令我們費解的一件事是當我們需要往上，但兩條扶手電梯都同時向下想點？在酷熱天氣下，一行22人，最年長的85歲、最小的2歲半，走了517級樓梯！

真的難為了長老！

去酒店大堂嘅路要經過一條又一條九曲十三彎，左轉右、右轉左嘅黑暗石洞，如果唔知，你完全會認為個導遊帶緊大家遊地獄！

酒店房間是別墅式的，我和家姐及小姨甥同住，打開房門後，房間很大約600呎，先是一張圓型茶色玻璃餐桌、然後行前一

點是一個電視櫃，一張藍色雙人床配一張米色大沙發，落地玻璃窗外是樹林，所以日頭嚟講，間房都算暗。

其實一入房，我已看見房內的植物後面站了一個長頭髮、著住大喇叭褲，成個嬉皮士做型咁嘅男靈，佢背著我們，條頸唔係好正常咁向右傾，但佢好快就閃咗去外面樹林消失了，我其實都嚇一嚇，但由於怕嚇到小姨甥所以無出聲，不過從佢嘅視線停留嘅位置，我懷疑小姨甥都見到。

聽到同行家人話大部分景點都好似未完全開發，怨聲載道嘅情況下，加上外面好熱，所以我哋選擇喺房間內的按摩浴缸浸浴涼冷氣。

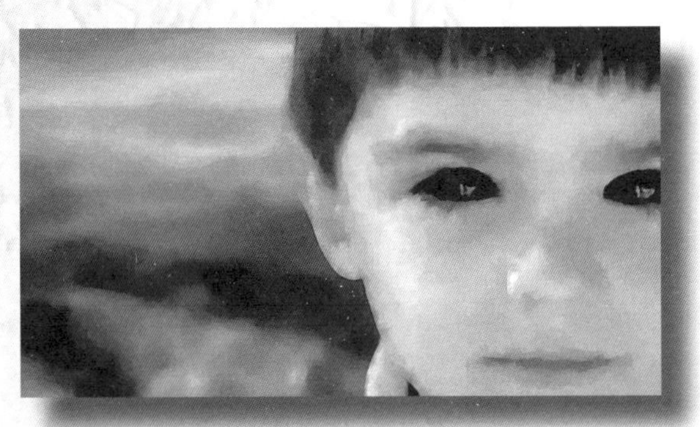

圖片來源：https://blackstory.tw/wp-content/uploads/2020/10/Black_eyes_by_megamoto85_cropped.jpg

酒店送咗份茶點入嚟，有果汁、曲奇餅同小蛋糕，所以我哋就坐咗喺門口嘅餐枱上面享用，睇咗陣卡通片之後，可能太陽開始落山，好明顯個房越嚟越暗，而且我感覺係壓迫感越嚟越大，就好似好多人喺度嘅感覺。

我同家姐對望，心領神會，於是我哋打算行去關埋窗簾，當我哋一經過電視櫃，我見到窗外嘅每棵樹木下，都出現一堆靈體，有啲甩手甩腳、有啲無咗個頭，雖然目無表情，但陣容相當鼎盛，佢哋企定定，是要拍 100 人之快閃津波嗎！

我也是！敵不動時我不動！！

僵持嘅局面維持咗 10 秒，結果由佢哋第一個隊穿牆而入，加我小姨甥望住嗰個方向嚎啕大哭而破局。

我哋一行三個，立刻手牽手轉身向門口落荒而逃！！

見慣還見慣！嚇走還嚇走！
兩件事唔好混淆！因為我真係淆底！

首先第一站，跑咗去對面阿妹房間，

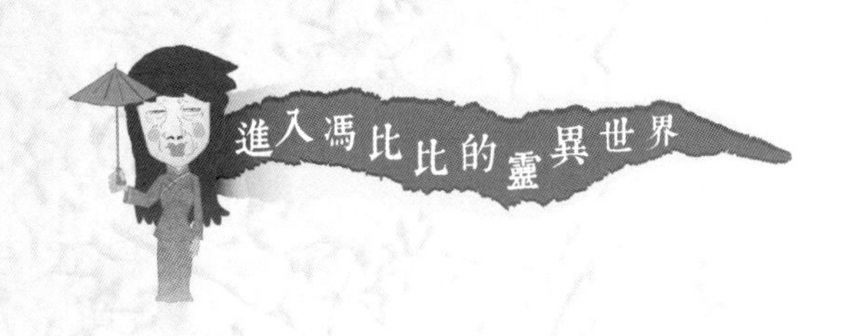

佢哋問我哋發生咩事，當我仲指望
阿妹同另一個朋友可以陪我哋壯膽返房
拎行李時，小姨甥在我妹的房間還是向
著不同的牆角一邊竄望一邊又匿返媽咪膊頭，他惶恐不安嘅表情，絕不是裝的。

我妹頭腦清醒地去收拾好自己嘅行李，
然後語重心長地話 此地不宜久留！
然後我哋五人小隊就逃咗去我爸爸房間。

好離奇地，當小姨甥去到公公懷抱，就好安靜咁訓到天光。

第二日其他親戚都相對表示房間晚上有怪聲、被鬼壓 、見到黑影等等……

臨離開時，小姨甥一直望住某個當日無啟用嘅遊戲設施，一直在數 1-6，都數到 6 就停，我還以為他不懂數下去。

後來，聽說那樂園興建前是亂葬崗，就算起到很多屍骨，也不會做甚麼麼超渡，可能因此令該地怨念甚重。
而更恐怖的事，過幾日新聞報道，那天小姨甥指著的遊樂設施的太空船失靈飛墜並發生爆炸做成 6 死 11 傷的慘劇。

然後，我姨甥原來是懂得由 1 數到 20。

到底那天數 1 到 6 是指甚麼？

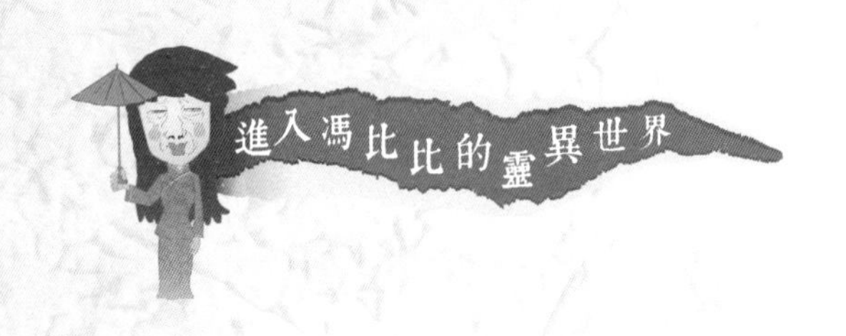

姐妹情深

這個故事，係比比嘅台灣老公講比我聽嘅，不過我聽完都覺得心都寒埋，所以希望帶比讀者們。

我哋都知道，而家嘅報紙係唔可以直接刊登死者屍體嘅照片或名字，以尊重死者同保護佢家人，但原來好多年前，台灣係仍然可以嘅，好多記者都會搏影到獨家，張相越有話題性越好，以報章嘅銷售量為重心。

呢件事係一個資深嘅記者朋友講返出嚟嘅，話說呢位記者，一直都同某位攝影師拍檔開，有日佢哋收到一單獨家新聞，係由一位大樓嘅管理員暗地通知佢哋，因為佢會有線報費。

原來有個渣男以不同的假身份，先成功追求姐姐，再暗地追了其妹，由於兩姐妹因工作關係住喺唔同地區，以前又唔似而家咁發達可以經智能手機或電郵發合照，一般要等到大時大節先約見面。

後嚟兩姐妹分別懷孕，當以為搵到歸宿，結果對方卻龜縮，佢哋一齊返屋企抱頭痛哭，傾傾下先發現，原來兩姐妹嘅男朋友係同一人，結果佢哋一時睇唔開，決定一齊服農藥自殺，佢哋用紅繩將大家綁住，並約定下世再做姐妹。

記者事前己同攝影師講，影相還影相，唔好亂講嘢，上到死者屋企，攝影師先影完姐妹嘅屍體照，然後就行去影下人哋屋企環境。

佢見到兩姐妹合照時，口多講：「唔怪得嗰個男仔追埋個妹啦，個妹真係靚過家姐。」

記者已經即刻叫佢道歉，點知有啲人就係咁鐵齒，佢話自己只係講事實！

之後殯儀館人員嚟到，攝影師又即刻 roll 機拍攝運走屍體嘅過程。

「呀～～她張眼了。」攝影師堅稱看到妹妹的屍體張開眼。

同行的人卻沒有一個看見。
他們立即跳上採訪車回看 playback.

在攝影師說有問題的時間，變成雪花，而且充滿雜音，因此只

能放著待晚上送回電視台處理。

他們當務之急，是沿途跟隨殯儀館人員拍攝運送屍體的過程，抵達殯儀館後，館方專人來接收屍體，正常佢哋經驗豐富，唔會出咩問題，偏偏遇著剛剛，就係攝影師一影，細妹條屍竟然跌咗出嚟，啲員工話：

「條屍忽然變得好重，係唔好兆頭，叫佢哋返去最好去寺廟拜下。」

當晚凌晨一點交咗餅帶返電視台比剪輯師，攝影師就開電單車返屋企，第二日原本佢約咗記者中午一齊返電視台睇返尋晚條片 ，但記者一直打唔到比攝影師，就唯有自己去睇，一見剪輯師已經面都青埋，佢修復咗雪花果段，竟然錄到一把女聲話：「我覺得姐姐同我一樣漂亮。」而且，仲要錄到個妹妹嘅靈體出現喺鏡頭。

到夜晚六點，攝影師終於現身，佢話昨晚佢送完餅帶，經過殯儀館附近見到果兩姐妹喺門口同佢揮手，佢即刻加速，點知入到隧道，佢喺倒後鏡見到果兩姐妹好快咁追佢。

為求心安，姐妹出殯嗰日，佢哋都有去上香道歉，希望獲得死者原諒。
呢件事之後，攝影師個精神狀態好差，由最初成日請假，到最後佢自己辭職。

記者再次見到攝影師，喺一年之後，可惜佢已變成新聞嘅主角，佢喺隧道旁邊嘅空地服農藥自殺，當場毒發身亡，而巧合嘅係，嗰日係兩姐妹嘅死忌，連死亡時間都相同。

而最最最靈異，係連出殯嘅日子同禮堂，都係同一樣。

禍從口出 原來是真的。
另外，在此呼籲大家珍惜生命，請勿自殺。

圖片來源：https://www.asqql.com/upfile/simg/2015-10/20151013755778180.jpg

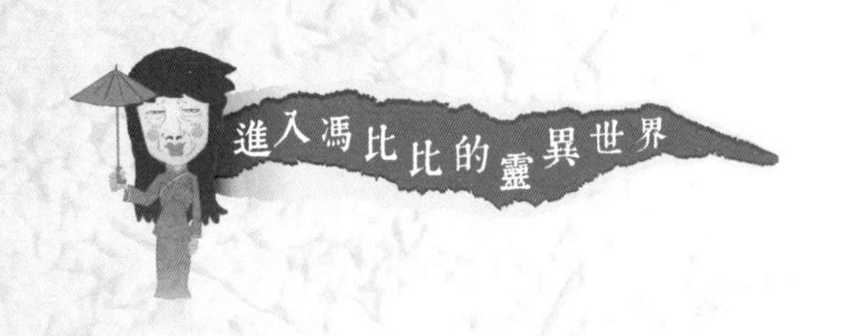

嚇𨋢

無論衣食住行，我們生活中無數嘅場景，都有機會搭電梯，在狹小嘅空間裡面，面對冰冷嘅四面牆，尤其係當我睇咗某著名鬼片中，極度寫實嘅電梯阿伯鬼魂果一幕之後，獨自搭電梯總會令我不安。

話說比比嘅已故外婆，住在典型嘅井字型舊式公共屋村，不得不承認，與私人樓宇的住客相比，鄰里關係好似比較親近，有啲可能一做就幾廿年街坊，常說遠親不如近鄰，我覺得這裡人情味較濃厚。

記得有一年暑假，我每星期都有幾日會喺外婆家留宿，我記得有一日，隔離幾間屋好早就傳嚟好熱鬧嘅聲音，打開門時，見到上下幾層嘅街坊，都開咗門襯熱鬧。

當見到拎住花球，著住中式馬褂嘅新郎哥，然後一班西裝骨骨嘅兄弟、仲有攝影師，開開心心咁準備接新娘。

見到班兄弟陪住新郎哥接受姐妹團嘅愛的考驗，擰住痰罐食朱古力香蕉，就算明知新都係有少少核突，用絲襪笠頭，個個兄弟都被拉到五官變型、大聲讀愛的宣言，大家都被熱鬧氣氛所感染，連圍觀者都笑容滿面，好不喜慶。

過咗半個鐘左右，終於見到著住中式裙褂嘅新娘，我個人來說，中式嘅裙褂比人感覺喜氣洋洋；西式嘅婚紗帶來莊嚴幸福的感受。

兩者各有特式，平分秋色。

每個新娘子在結婚當天，都必定是笑靨如花，豔光四射的，我很喜歡這種替人高興的情景，隨著結婚隊伍及湊熱鬧的人群陸續散去，除了鄰居門口那對聯與囍字外，又回復平靜了，而當晚我也回了自己的家。

大約一星期後的一晚，由於我剛好在附近的酒家參加完囍宴而我隔天早上又需要早起，所以當晚我打算到外婆家留宿。

不知道大家有沒有試過，剛出席完朋友婚禮那種微醺而又被新人幸福感染的感覺，在回外婆家的路上，手中拿著精美的回禮禮物，嘴邊還哼著剛才飲宴中聽到的戀曲。

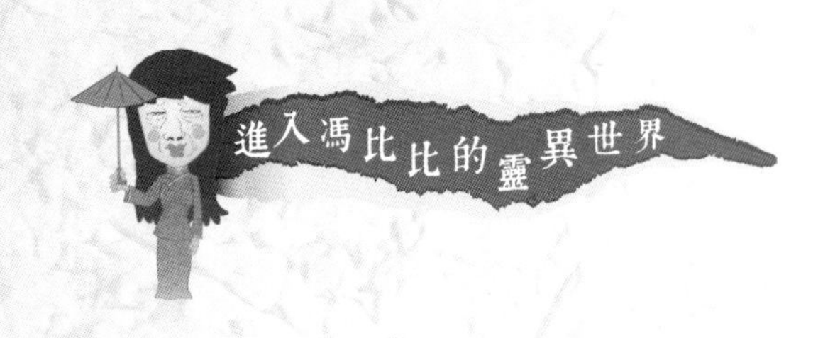

不知不覺間，就走到了電梯大堂。

電梯門打開，我進去並按下 20 字的按鈕，由於只有我一個，所以我就直接站在右邊近門口的位置。

電梯在徐徐上升，顯示燈跳到 4 字時，燈光閃了一下，我不知道是否受到剛才氣氛的影響，耳邊還是隱約聽到音樂，然後我聽到有人唱著 「願意今生約定 他生再擁抱」這句。

我忽然醒起今天飲宴的曲單中沒有這首歌！

背後忽然傳來一陣寒意，冷得令我發麻，這種熟悉又討厭的感覺，讓我不禁偷描，從銀色電梯幕牆的倒影，我知道在我背後的左後方角落有一個紅色的人影。

我裝作若無其事的看看顯示燈，
剛從 8 字跳到 12 字，我恨壞了這種感覺！我拿出手機低頭去滑手機，打開相薄看看今天的照片，希望分散注意力。

然後，我很清晰的聽到高跟鞋踏前一步的聲音，該死的電梯此時剛跳到 18 字。

我再次繼續低頭。

但我左邊眼角，已看到穿著紅色裙褂、腳踏紅色繡花鞋的腳，就站在我旁邊。

我的心快要由體內跳出體外了！

叮，電梯門打開，我裝著找門匙，而穿著嫁衣的女靈，飄了出去。

隔了一分鐘，我用了最快的速度跑回外婆的家，連續飲了三杯冰水，我才冷靜下來。

第二天早上，我看到上次囍字那家門口點了白蠟燭及掛了一個白燈籠。

外婆說，那個新娘晚上在喜宴中跪低敬茶時，忽然間暈了，送抵醫院前已過身，聽說是蜘蛛網膜下腔出血。

紅事變白事，我相信對誰來說也是極大的遺憾。

睇樓驚魂

香港地寸金尺土，普遍市民可能怕無屋住，多過驚住到鬼屋，上車難過登天，所以唯有租囉。

話說比比住深山，男友住港島，而且返工時間極度唔夾，有時想見下面，一係我要凌晨三點過海揾佢食碗魚蛋粉，或佢要捱完通宵出嚟陪我唱 k，與其互相精神折磨，於是乎我哋就決定租樓同居啦。

比比一向出名就得人，所以我心目中都諗住就返男友就物色港島東區嘅地方，以前無咁多手機程式就咁網上 click 下就可以網上 VR 睇樓，你想租樓必須要親身去睇，而我亦幾同意自己親身去，除咗因為呢個世界太多照騙！照騙！照騙！之外，睇個樓，分分鐘變埋體驗。

200 尺靚裝、合二人世界 5000/ 月；有電梯，普裝，我停咗喺一間好細嘅地產舖門口，佢啲盤幾岩我心水，睇啲相片都好唔錯。

入面有個好似從漫畫書走出嚟嘅女人，過時的爆炸頭加有點向上嘅鳳眼，再加一套花碌碌嘅衫，佢操一口流利嘅勿演話：「系

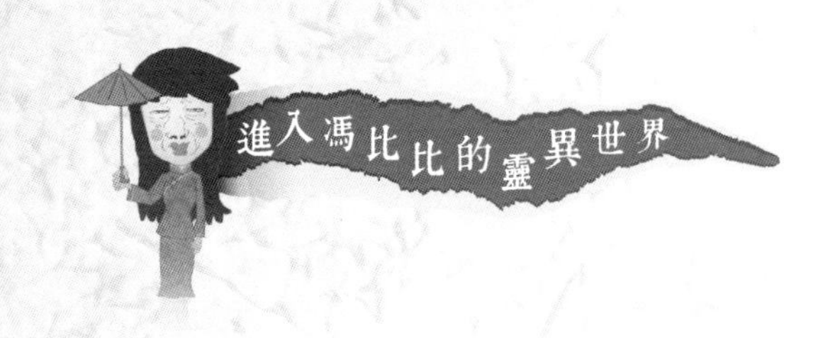

咪醒周佬！」我話係。
佢自我介紹佢叫「鬚神」
然後佢問：「身抹中咪也炸錢。」
就咁佢一言我一語，佢就帶我出發。

我原本係想直接先睇有心水果兩間先，
鬚神話要：「唐熱子約。」於是我哋決定先睇佢手上有鎖匙已經交吉嘅盤。

第一間係普通裝修連小量傢俬。
我哋去到去西灣河區，近地鐵站，樓下有各種車仔美食，
各類商店就係正樓下其實算方便。
我哋搭電梯上到高層單位，一打開門已經顛覆咗我對普通裝修嘅定義，泛黃而半剝落嘅牆紙，上面還附帶半張粵劇名伶嘅海報；發黃嘅馬桶、滿是油煙漬嘅牆磚邊係普通裝修 jei，如果想要入住係必須要幫間屋大裝！附小量傢俬係一張木櫈仔同門口嗰個放一對酒店送嗰啲薄紙皮拖鞋都可能會整個粉碎嘅鞋櫃！

鬚神仲話可以同熱子傾簡周！咁嘅質素莫講話業主肯減租，就算免租都恕我無辦法接受！！
第二間，我哋去到隔離街嘅一棟大廈嘅 5 樓，呢間係標明無裝

修，咁上到又果然一副家徒四壁嘅模樣，不過呢間個間隔唔好用，而且鬚神話熱子無下降鬆間，撇 s!

第三間，唔知點解要忽然去到柴灣山上面，我只記得有個翠字，呢間係高層嘅，一出電梯，我見到有個細路女嘅靈體好快跑過，然後喺前面幾個單位閃咗入屋，我嗰刻都已經心知不妙，果然，六合彩唔見我中，鬚神一開門，阿靚妹已經倒吊望住我哋，雖然佢一面善良，但如果日日同 位蜘蛛女俠住又好似冇點兒那個！我同鬚神講呢間我唔岩心水啦

去到最後一間，經典囉！唔知屋主家人對白色係狂熱到咩地步，一去到門口，大門、鐵閘、門口地毯全是白色，係白到螢光嗰種白、然後係氣窗已望到屋中有把血滴子三角吊扇開咗，我直覺入面一定，係一定有鬼！！ 鬚神好堅持用鎖匙開咗 n 次，都打唔開度門，我已經開始滴汗！ 點知當佢一拔走條 key，度白門竟然自己打開咗，嚇到我個心肝同阿脾肺腎都離一離！

如果智力正常嘅人，其實都應該感覺到唔對路砰門速逃！
鬚神應該、或者、可能就係智力超越凡人！

佢竟然立刻打開門，叫我睇佬！！！

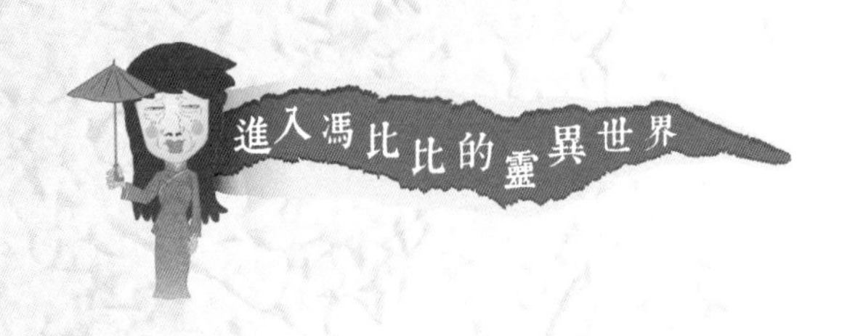

我果然如佢所講！我真係嚟睇佬！不過係睇痲甩佬！

有個白頭髮白背心白睡褲，膚色慘白嘅大叔靈體。佢條脷伸咗出嚟，掛住喺吊扇上面跟住轉！佢唔暈 我都暈！

我目定口呆咁望住佢大嗌！
我同鬚神講間屋有嘢！
鬚神話佢可以幫我叫佢出嚟！
然後佢赤腳行入屋，叫咗幾次出嚟！

以佢嘅智慧，我真係無辦法同佢再溝通！

結果，我嗰次周唔成佬！

圖片來源：https://fs.mingpao.com/fin/20200523/s00011/86ab5e71f4b936a1bc00c52317dbe0ad.jpg

高雄酒店

我覺得緣份真的很奧妙，我相信幸福可能會遲到，但請相信是你的跑不掉。

當純樸老實的台灣直呆男碰上樂觀活潑的香港傻女孩，沒有驚心動魄，沒有動地驚天，但卻成就了這段婚姻。

由於婚宴在高雄舉辦，於是乎愛我的家人及閨密們，一行 15 人浩浩蕩蕩的由香港前來出席我們的婚禮。

家人們在我婚禮前一晚的晚機才抵達，為免他們太過舟車勞頓，所以我選擇了距離夫家及婚宴場地車程不到 15 分鐘的一家四星級酒店。

他們將要抵達的下午，我們到酒店為他們預辦入住手續，酒店分新翼及舊翼，我明明是預訂了新翼房間，但由於預訂程式與酒店之間的溝通問題，而酒店亦無 5 間新翼房可以比我哋，結果都唯有接受。

我哋房間係 2 樓，連續 1 排 5 間。

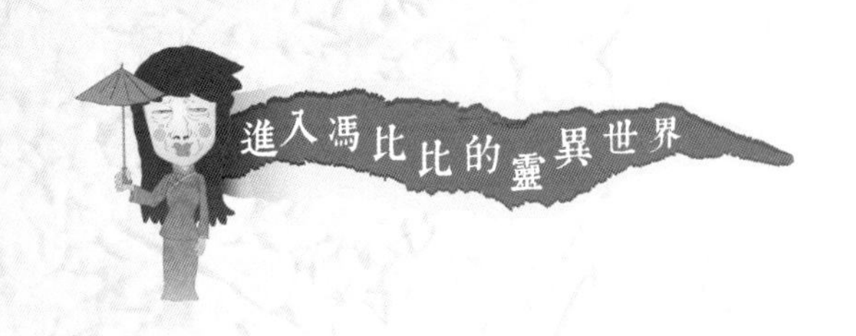

打開房門，舊翼果然好舊！兩張好細嘅單人床，大牛龜電視一個一張超長梳妝台加塊鏡，完！

第一間房，我一入去就已經見到一個老婆婆嘅靈體，佢本身坐喺床，但我哋一入房佢就走，我都 feel 到佢無惡意嘅。

其他房我都係入去幫佢哋 check 下有毛巾用品齊唔齊。

話說當日我會喺酒店做上頭儀式同過夜，因為正常婚禮前一日女仔係唔會喺男方家過夜嘅，原來台灣都一樣、所以我只係嗰晚會喺酒店訓。

果朝奶奶買咗個台灣新娘頭花比我，當晚 12 點幾，我家人朋友到齊就幫我上頭啦，我見晏晝嗰個婆婆靈體，都有好仁慈咁笑住企喺度襯熱鬧，仲跟我哋拍手。

當晚我同個妹傾到凌晨三點幾先訓，訓咗陣我感覺到有人拍我，我唔知係真定夢，婆婆坐喺我床邊然後比咗啲影像我睇，似乎個台灣頭花入面有樣嘢我睇漏咗。

去到第二朝，又夢到佢坐我床邊叫我起身化妝。

化緊新娘妝時，我拎返個台灣頭花睇，盒嘅入面的確仲有個細紅花我哋無留意，問返奶奶，原來一大一細，就係寓意婚後連生貴子，所以婆婆可能真係提醒我。

但到返香港果時，朋友們分別講返佢哋喺酒店遇到怪事。

房 2 嘅低靈朋友，每晚都聽到有人係佢耳邊吹風同講嘢，然後洗手間內嘅沐浴露或物品，每晚凌晨都會自己跌哂落地。

房 4 嘅朋友，佢話見唔到，但感覺到好強烈嘅壓迫感同被鬼壓，佢將自己啲宗教法器放哂出嚟就即刻無事。

房 5 朋友話凌晨見到有個小朋友企喺雪櫃上面，然後廁所成晚自己沖廁。不過好彩，大家返到香港都無唔舒服。

圖片來源：https://housecleaning.tw/wp-content/uploads/2020/07/banner-administrative-01.jpg

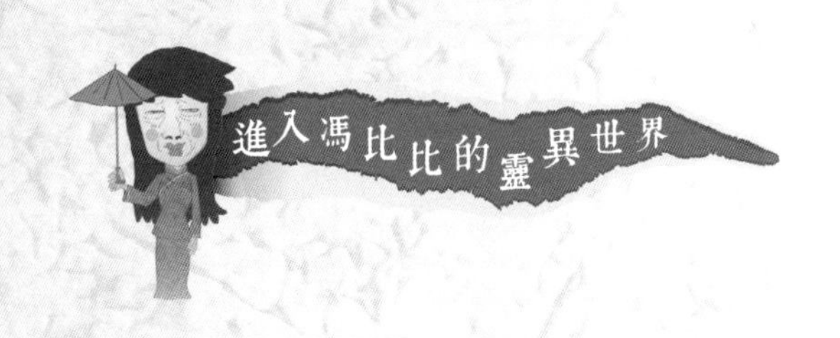

鋼琴王子

嫖賭飲蕩吹，呢個係人生嘅五種毒。
無論在那一項中沉淪，結果也是死路一條。

人生得意須盡歡，莫使金樽空對月
當然輕酌淺嚐或偶爾開懷暢飲，
這絕對無傷大雅，可是最可怕
就是那種每日醉生夢死，
酒不離身、酒癮極深，去到酗酒鬧事嗰種人。

當我們血液中嘅酒精濃度去到某個水平，中樞神經系統會因受酒精影響，進而影響人嘅自我判斷能力及酒後行為，所以常出現酒後失態、亂性等等嘅情況，因而惹禍上身，而且，酒亦傷肝，長此下去，亦只有和肝癌作伴，何必如此！

話說比比的一個鄰居大哥哥，
簡直係我年幼時期至中學嘅一個偶像，六尺嘅身高搭配棱角分明嘅俊朗臉孔，溫文爾雅的舉止加上高超嘅琴藝，完全係你會想拎住檸檬茶，跑住同佢扮偶遇嗰種陽光大男孩！

哥哥細個嘅夢想係成為鋼琴家，
揚威海外，可惜現實終歸現實，
唔係每一個藝術，都能成為職業。
佢只成為一個普通的音樂老師。
為此佢一直覺得懷才不遇，意志消沉，越嚟越偏激，
開始終日借酒消愁。

隔了幾個月，佢已開始成面鬍鬚，
成日喃喃自語 有時醉在門口
有時瘋狂大叫，或恐嚇鄰居
惜日的俊男 在酒精的蹂躪下
儼如露宿街頭巷尾的無名氏。

後來有一日，他醉倒在家中嘅倉庫
可能酒後亂撞，佢訓喺地下，
比跌落嚟嘅工具箱撞爆咗個頭。
由於佢嘅行為已不能用常人來比，失蹤幾日是家常便飯。
因此，直至佢屍體發臭，先被家人發現。

由於佢家人奉信基督教，所以並不相信法師超度之說。哥哥嘅
爸爸每晚都坐喺門口抽煙嘆氣，偶爾悲從中來，會在低聲飲泣。

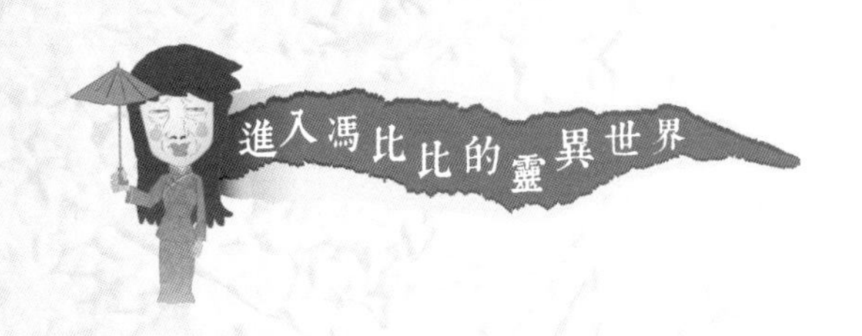

哥哥嘅靈魂就坐喺佢生前常彈嘅鋼琴前面，有時默默望住佢爸爸，相對無言，有時，見佢雙手輕撫琴鍵，似乎在懷念過去。

有一日，我又見到佢爸爸係度喊，我忍唔住同佢講咗，我話哥哥其實成日都仲喺度，走唔到。

隔咗幾日，我見到有法師喺倉庫做法事，仲有個一比一嘅紙紮鋼琴同黑色燕尾禮服。
爸爸都係嗰種沉默的愛，佢用呢種方式去完成哥哥嘅夢想。

後來我夢見哥哥就著住嗰套禮服，再次變成嗰位風度翩翩嘅鋼琴王子，之後我就再無見過哥哥了。

圖片來源：https://tse2.mm.bing.net/th?id=OIP.qAntk9hmc-0TF2PdfejoewHaFo&pid=Api&P=0&w=300&h=300

毒品害人

世上有無數種罪犯，我最討厭是毒犯，
假如我是閻王，我一定會把所有制毒的人，拖進生死冊中，然後永不超生。

可惜我不是。
所以世界上仍然充斥這種十惡不赦的人。

我曾親身接觸過無數被毒品禍害嘅家庭，原本品學兼優的花季少女，因誤交損友染上毒癮而淪為流鶯；有無數染上毒癮而失去家庭的男女。

無論是醉酒或是吸毒者，當意識最模糊嘅時侯，亦係最易撞鬼嘅時候。
因為幻覺，因為幻聽；
因為根本就分不出真與假。

呢件事，係由死者嘅遺孀講比我聽。

話說佢丈夫，原本係一個好盡責任，心地善良嘅人，但係佢之

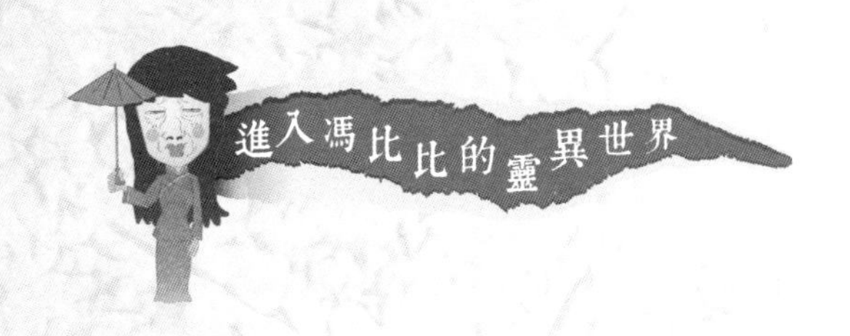

前因為同兄弟做生意，被其陷害而身陷囹圄。

五年後出獄，心裡除了被憤怒沖昏頭腦，亦因曾入獄嘅背景，令佢無辦法喺原本嘅行業立足，最後只能由白領階級，變成最基層嘅藍領，仲要朝不保晚。

對一個大學尖子嚟講，人生完了。

現實往往最易拖跨一個人。
嗰個曾出賣佢嘅兄弟，因為佢哋共同發明嘅專利技術而變成人哋口中嘅「財俊」。

呢種對比成為壓跨駱駝的最後一根稻草。

佢開始靠吸食毒品，去尋找所謂嘅快樂。
用嗰種短暫嘅迷幻感去逃避痛苦嘅現實。

呢一樣嘢，只要一踩中，就如戰地中的地雷，必死無疑。
只係快啲定慢啲。

當佢老公越迷糊，屋企開始出現怪事。

最初，佢老公經常在家自言自語，
彷彿就真係有個無所不談嘅戰友在聊。

佢以為，佢老公係藥後反應，
佢由憤怒，到失望；
再由麻木，到漠視。

佢開始覺得，同佢老公對話嘅「朋友」越嚟越多。

直到有晚佢晚上去廁所，佢係鏡中反映見到身後嘅男人黑影，摸
佢屁股，再好輕薄咁喺佢耳邊好猥瑣咁講「阿嫂，你好正！」

佢開始意識到事態嚴重。

佢老公每晚做出更多嘅舉動，
有時手執菜刀話要保護老婆。
有時痛哭流淚 話自己撞鬼。
有時在廁所向空氣大罵，
叫對方唔好攪佢屋企人。
佢覺得佢老公自己都好痛苦。
佢仲發現，佢老公忽然懂得說

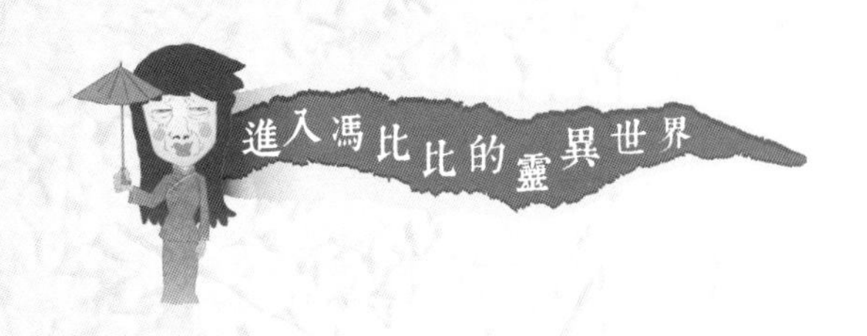

一種從來冇聽佢講過嘅鄉下話。

直至佢老公自殺前嘅一日，佢係日頭時，好清醒咁同佢老婆講對唔住，佢話自己惹到另一個吸毒死嘅惡鬼、只有佢死，比佢做替身，佢老婆先安全。

結果第二朝，佢老公跳樓死咗，死前手上拎住一個紅色利是封，入面寫住自己願意以靈魂比一個不知名嘅男人名，交換老婆 xxx 安全。
仲有頭髮同用血打咗個指膜。
好似畫押咁，當然警方以精神病發作結案。

而佢遺孀，剛深信是鬼殺人。
無論如何，千萬不要嘗試毒品！

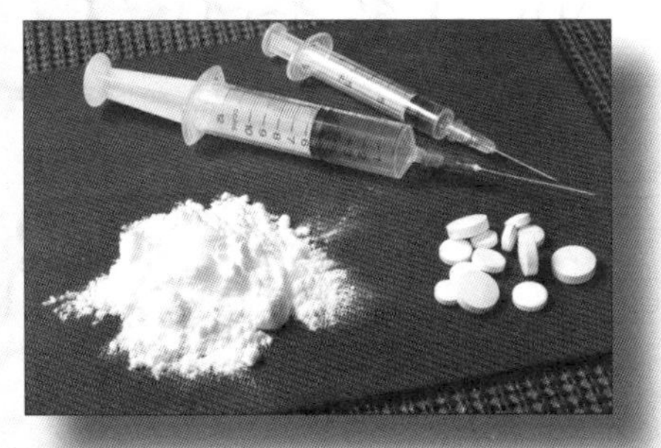

圖片來源：http://pics.ettoday.net/images/2850/d2850178.jpg

送別故友

我討厭殯儀館，更討厭面對死別。

生老病死原是人生的一個循環，但偏偏我們面對死亡卻是如此的忌諱。

如果是正常的生、老、病才到死我也還較好接受，我最怕是切來得那麼的突然，讓人難以接受。

青蔥歲月的比比，朋友多、認識新朋友的機會也多，不像現在，重質不重量，常見朋友的年資都以十年起跳。

記得有次我朋友大力 (假名）把一名新朋友仔仔（假名） 帶進我們朋友圈，打過牌、唱過 k、吃過飯，年輕人原本就很易打作一團。

某天周未的早上，大力打給我哭得激動非常，我著他冷靜下來慢慢說。過了一會，他向我投擲一個震憾彈「仔仔死了。」

他原本約了仔仔去銅鑼灣看電影，後來大力的女朋友找他，在

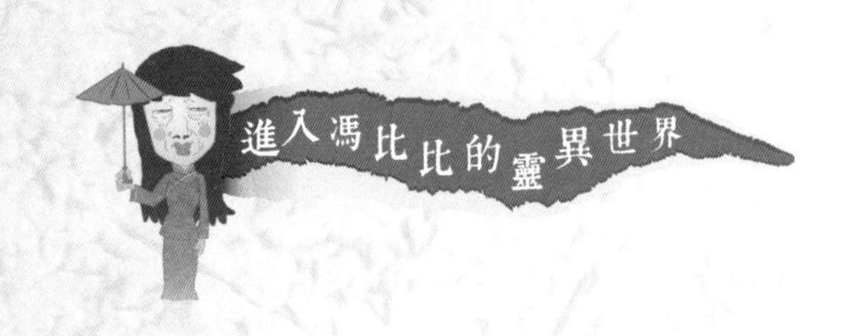

色與友之間，他做了正常男生的選擇，仔仔理解也沒有埋怨，由於剛好已身在港島，他改為答應另一朋友的邀約，到石澳泳灘燒烤。

結果，他晚上在海灘游泳時遇溺身亡，大力對此內疚非常。

以我們對仔仔的了解，事情其實有點奇怪，他雖然年輕，但處事成熟 ，自我保護意識也強，他平常不太喝酒，所以我們幾乎無法相信他會作出飲啤酒後，還跟另外兩名男生在漆黑的海中比賽鬥快到浮台這樣危險的事。

或許就應驗了一句老話
「閻王要你三更死 誰可留人到五更。」

現實終須面對，出殯日定了在兩星期後。

我其實很少 也很討厭去殯儀館，每次去完我會好唔舒服，而且通常會病一輪，但嗰次我決定同仔仔道別。

到了大酒店門口、我總覺得殯儀館有股獨特的味道、是檀香夾雜一種木材的味道，紙紮大屋、金銀橋、童男童女、家屬呼天搶地或默哀，所有的景像都會令我引發一連串的負面情緒，這是我最怕的。

仔仔設靈的思念堂在3樓，由進入大堂起，我總覺得自己像身處動物園的奇珍異獸，總有無數的靈體向我投以奇怪的目光，有時他們也會走近我的身邊。

電梯門在3樓打開，這層有4個堂，仔仔在最尾一個。

頭堂是一位九十有七的老夫人，靈堂輓聯寫著母儀千古，經過時見已故先人，站在兒女群中，面帶微笑，是位胖胖而有福氣的老婆婆，由於屬笑喪，家人們表情算輕鬆。

二堂是位女先人，x夫人，五十有七，靈堂輓聯為慈雲飄渺，眼見其丈夫哭成淚人，兩名子女在旁扶著他，氣氛傷感，女先人當時其實也圍在他們身邊，不捨之情，表露無遺。

三堂的老先生六十有九，經過時南無先生正在進行破地獄儀式，在圍著火光唱著我聽不懂的禮儀曲，這家的供品很多、除了主家的先人在禮堂的相片附近看著，我見起碼有五至六個靈體，在門口收帛金的位置，觀看著供品或做法事的過程。

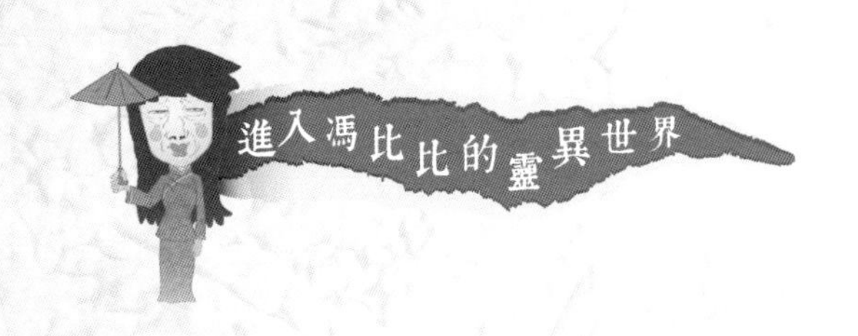

終於到了仔仔的靈堂，氣氛沉重得有點窒息，看著二十有一的燈，看著英年玉折的輓聯，此刻心裡特別的痛，我只是一個朋友尚且如此，伯母到底如何忍受失去獨子的痛楚。

仔仔曾說跟爸爸合不來，我想今天，他終於親眼看到爸爸只是不懂如何對他表達他的愛，可是也知道得太遲了。

走進放著仔仔大體的地方，他穿著簡單的 T-shirt，看起來就像睡著一樣，這時仔仔的靈也進來了，您知道嗎？我最討厭就是看到朋友的靈體！！！

仔仔無奈地看一看自己的大體，沒有一絲忿怒，也沒有一點怨氣，還像在生時一樣，是個沒脾氣的陽光大男孩。

他本還有著大好的人生，不該沒有氣息的躺在那邊。我很想跑去叫他起來，別睡！

當他向我裝鬼臉作為最後道別時，我的眼淚再也忍不住了。然後，他就陪在爸媽身邊直到儀式終結。

吉儀內的糖果對我來說是世上最酸的！

自從這件事後，我人生觀出現了轉變，原來死亡可以和自己很接近，當我每次想和親人或朋友鬧交生氣時，我都會想，如果今天已是最後一天活著，事情真的值得生氣到不接電話不見面嗎？

不是每樣事情也有機會明天重來的。

圖片來源：https://www.ziranhuahui.com/wp-content/uploads/2020/04/2020040101H-300x300.jpg

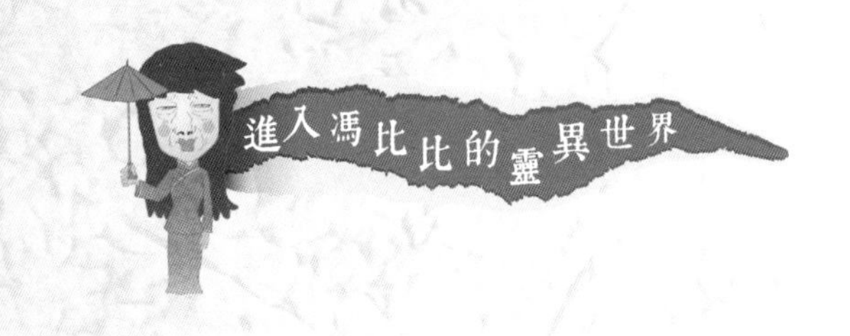

活著多好

我最怕是看見認識的人的靈魂。

夢想，可以無限大，但要實現夢想最低的要求，是你要活著。

以前我常說。如果阿拉丁神燈，可以給我三個願望，我會想中六合彩頭獎、環遊世界嗰啲，但經過歲月嘅洗禮，我嘅願望，係早上出了門口，我晚上有命回家，晚上睡著了，早上有命張開眼睛。

我好怕見到識嘅人，變成靈體出現，
我真係好難壓抑嗰份心酸，
就好似法醫會怕解剖認識嘅人一樣，
因為人係情感動物。

80後的我已奔四了，如果以女性平均壽命來說，我已過了一半，無法避免的是，二、三十歲，最常出席是囍宴、百日宴、當去到我爸媽的年齡時，朋友就是見一面減一面了。

曾有讀者問我，人死後是不是沒有七情六慾，對我來說是否定的，如果他們都無慾無求，那麼其實沒有那麼多靈異事件了。

無論是冤魂報仇的執念、對在世親人的愛念，不都正正反映出就算死後，還有感覺嗎？

比比不是想派洋蔥，而是現實往往就是夾雜著那麼多的無常與無奈，電影情節的藍本，很多是來自別人的人生。

比比小時候無心向學，中五時會考 3 分，結果重讀了一年夜校，那年我認識了一對情侶同學 Cat 同 Ken(化名），佢哋比我大幾歲，是因為出了社會後，發現某些職位的晉升，還是會被學歷影響，所以才重返校園。

佢哋兩個平時相處好開心，因為大家都樂觀又唔會計較，所以就算畢業之後、我們都常有約見。

他們結婚時，我還有幫忙挑婚紗、做姐妹，婚後不久，他們生了一對可愛的孖女，幸福得讓人羨慕。
可惜天意往往如此，某次吃飯，我忽然間看到 KEN 閃過一絲灰氣，我其實不能說 ，但那次我還是借啲意提下佢做 body check 。

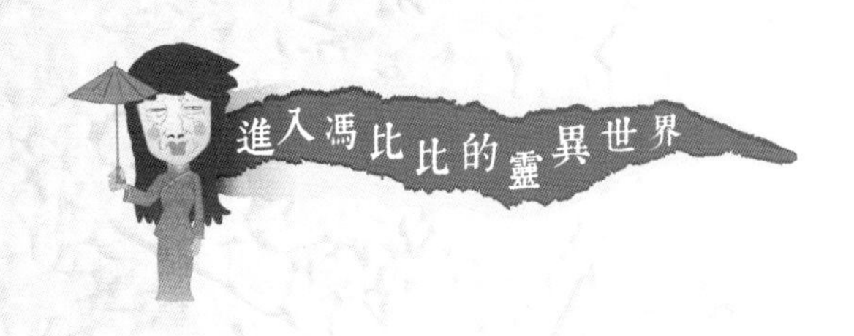

不煙不酒不嫖不賭的好人，未期肝癌。
很快就走了，一切是那麼的突然、

突然得讓 cat 無法接受，
她先把孩子交給父母照顧。

我陪她去處理 Ken 的後事。
我一直很擔心，因為 Cat 一直表現得太過鎮定。

那天，我陪她回家去整理 Ken 的遺物，
與及挑選壽衣跟靈堂照，因為我知道這是很殘酷的事。

回到他們的家，一家四口的溫馨合照，
在此刻有點刺眼。

我也猜到，這位好男人，一定在。
他又變回我認識他時，健康的樣子，
站在他們倆的主臥。

隔了一會兒，拿著相薄的 Cat 忽然崩潰。
她狂哭 彷彿心裡的悲痛無處可逃。

Ken 行出來，靜靜地站在 Cat 的身後，
搭著她的肩膊，我看著 Ken 點頭，
他有一點點驚訝，然後回復樂觀的
向我微笑。

Cat 哭，我也忍不住抱著她哭。
Ken 把我們兩個都抱住。

他的手很寒，但我卻知道他已盡力。

那本相簿，忽然掉在地上，
跌出一張 Ken 的獨照。
笑容滿面，很有朝氣。
這是 Ken 自己挑的照片吧。
而恰巧的是，照片中他穿的那套衣服
就是掛在椅子上，剛從洗衣店拿回來的一套。

我忍不住告訴 cat，他老公在，
也希望你堅強的過得好好的。
電腦忽然自己播歌

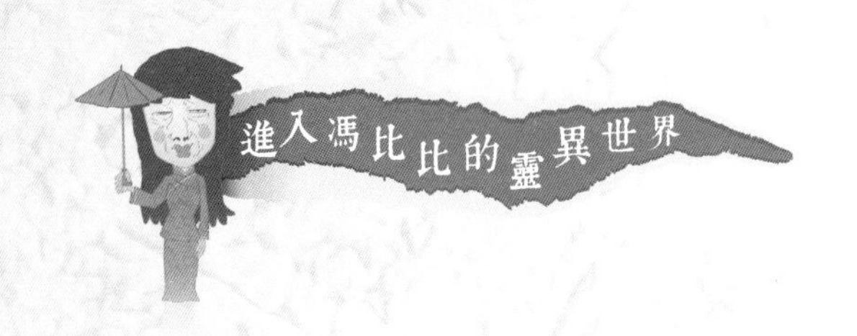

是醫臣的活著多好。
這歌長期放在我的 playlist 。

我明白當有親人、摯愛、朋友的離開，
叫人痛不欲生，但我相信每位離去的，
都希望我們盡快走出傷痛，
開心的生活下去。

送給您們每位。

遊玩時開心一點不必掛念我，
來好好給我活像就似當初，
仍然在呼吸都應該要慶賀，
如果想哭可試試對嘉賓滿座，
談個笑話紀念我

節錄自《活著多好》